प्राणायाम रहस्य

प्राणायाम, ध्यान एवं कुण्डलिनी
जागरण के अनुभव-सिद्ध प्रयोगों का
सचित्र-प्रामाणिक विवेचन

स्वामी रामदेव

प्रकाशक :  **दिव्य प्रकाशन**
दिव्य योग मन्दिर ट्रस्ट
कृपालु बाग आश्रम, कनखल
हरिद्वार–249408, उत्तरांचल

ई–मेल : divyayoga@rediffmail.com

वैबसाइट : www.divyayoga.com

दूरभाष : (01334) 244107, 240008, 246737

फैक्स : (01334) 244805

पूर्व संस्करण : कुल प्रतियाँ 3,00,000

पंचदश संस्करण : विशेष संशोधित, परिवर्द्धित एवं रंगीन संस्करण
जुलाई 2004, विक्रमाब्द 2061
1,50,000 प्रतियाँ

मुद्रक : **आनन्द प्रिंटर्स प्राइवेट लिमिटेड**
43–बी, जतीन्द्र मोहन एवेन्यु, कोलकाता–700 005
दूरभाष : (+91-33) 25303700, फैक्स : (+91-33) 25431200
ई–मेल : anand@anandprinters.com

ISBN 81-7525-484-X

अनुक्रमणिका

पुस्तक के प्रारम्भ में दिये गये रंगीन चित्रों का परिचय

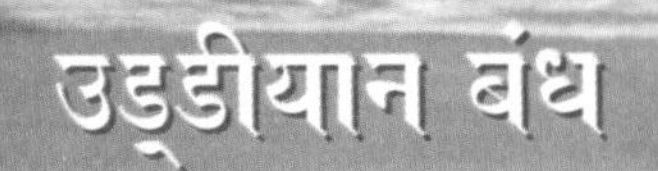

चित्र–1

अनुलोम-विलोम प्राणायाम

चित्र-2

अनुलोम-विलोम प्राणायाम

चित्र–3

भ्रामरी प्राणायाम

चित्र–4

मूलाधार-चक्र

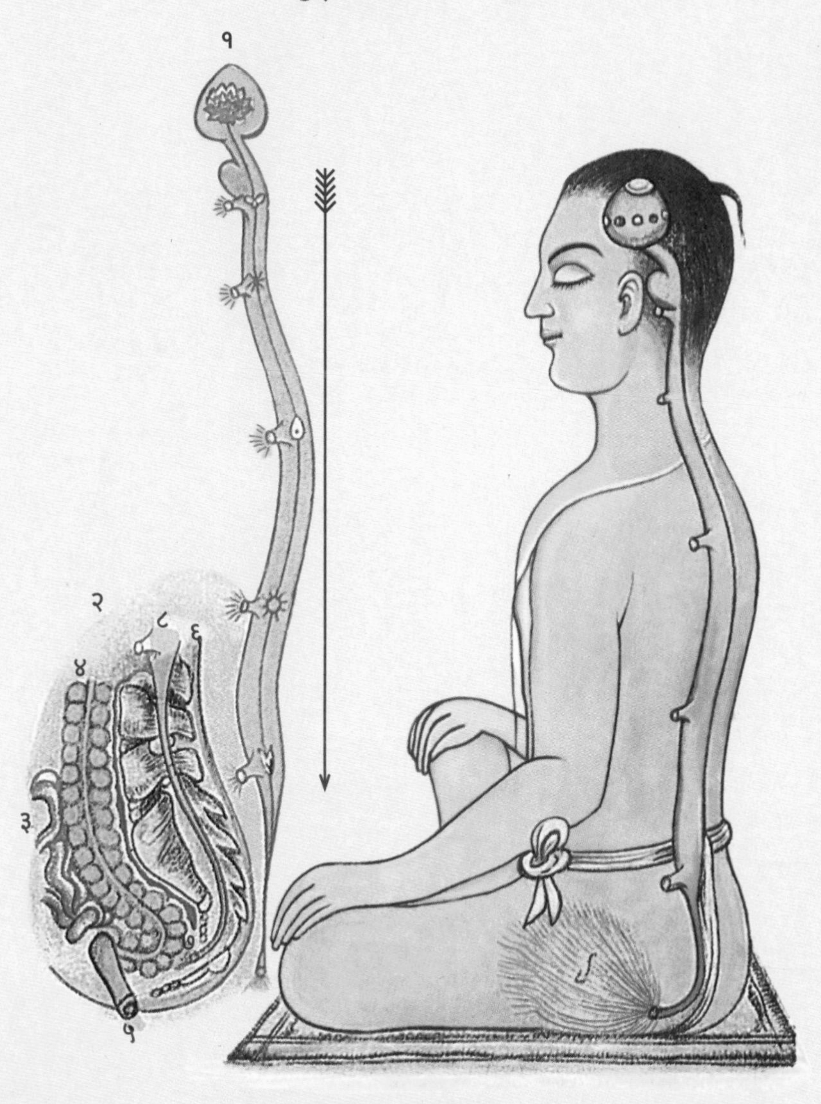

चित्र–5

स्वाधिष्ठान-चक्र

चित्र–6

मणिपूर-चक्र

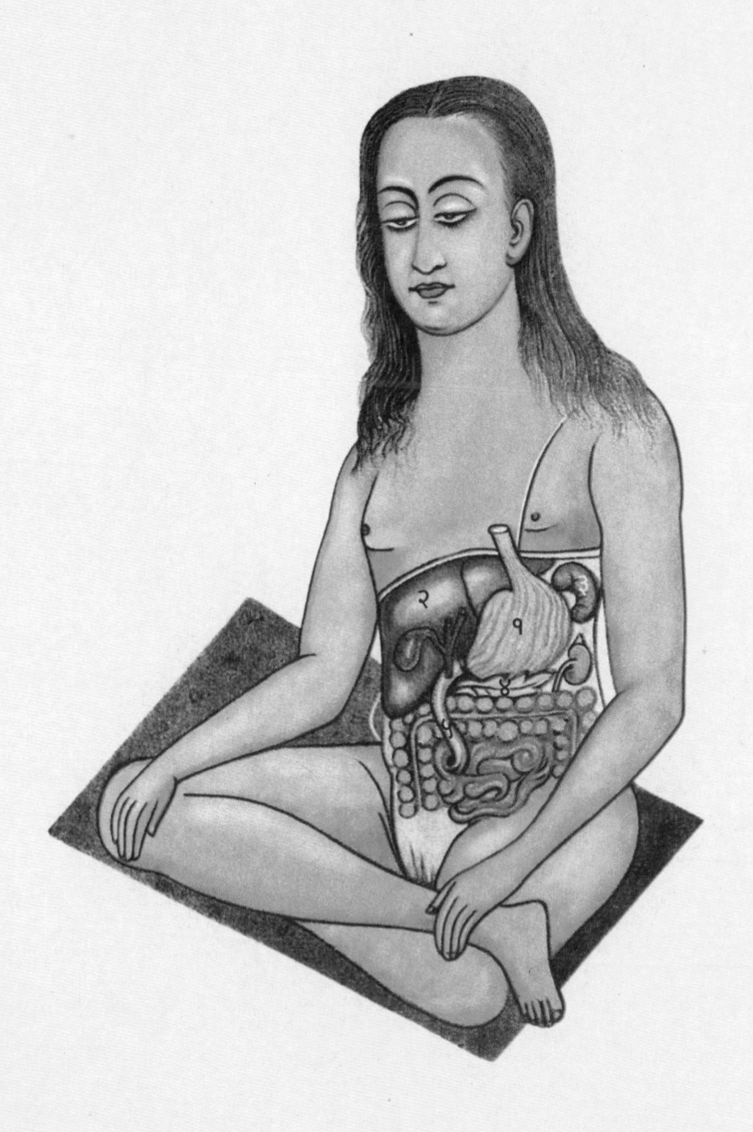

चित्र–7

अनाहत-चक्र का बड़ा रूप

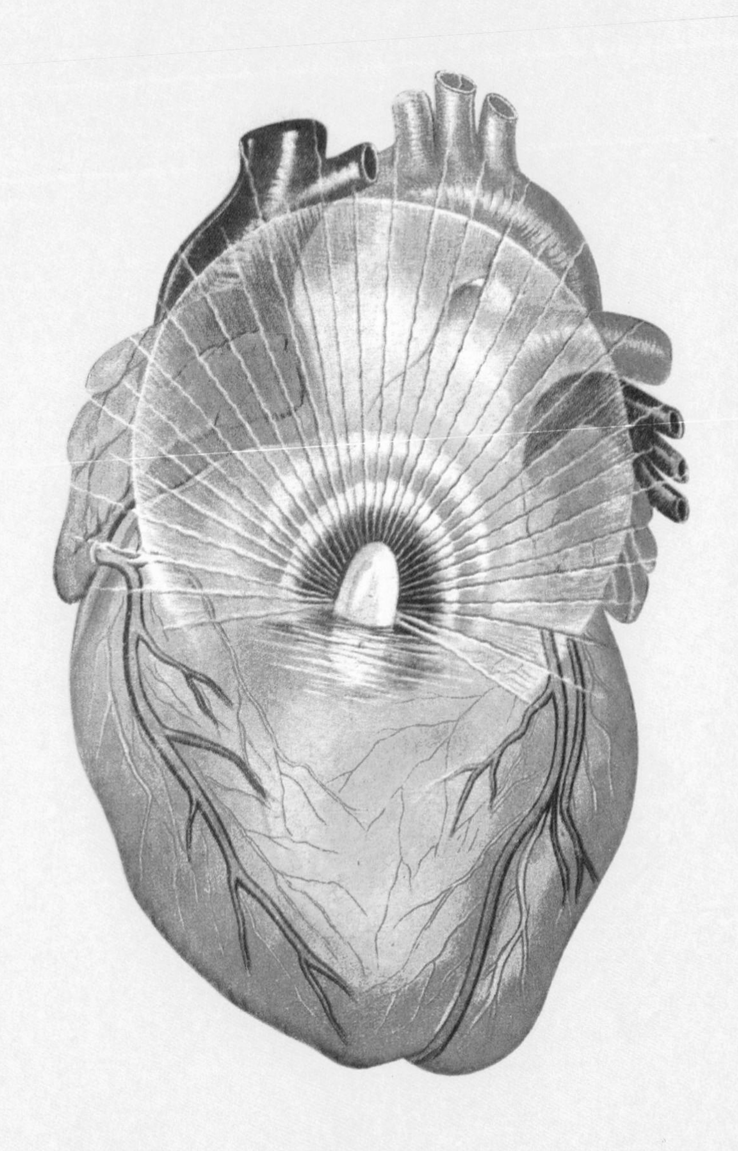

चित्र–8

हृदय-चक्र या निम्न मनश्चक्र

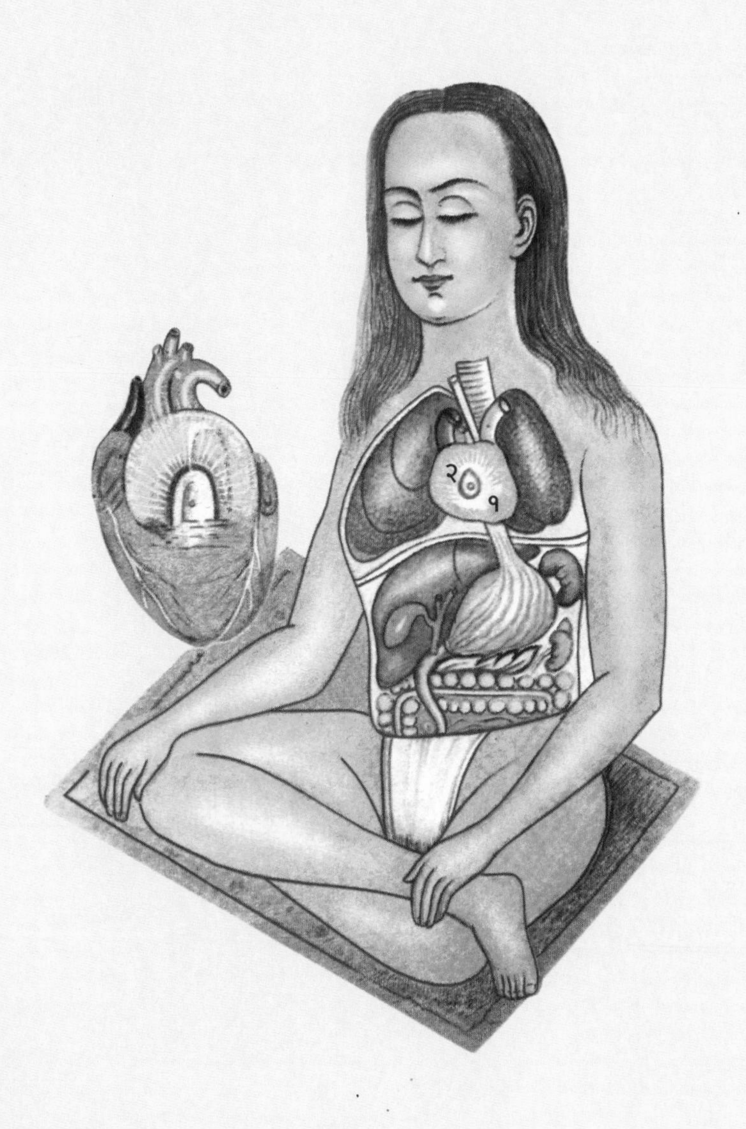

चित्र–9

विशुद्धि-चक्र

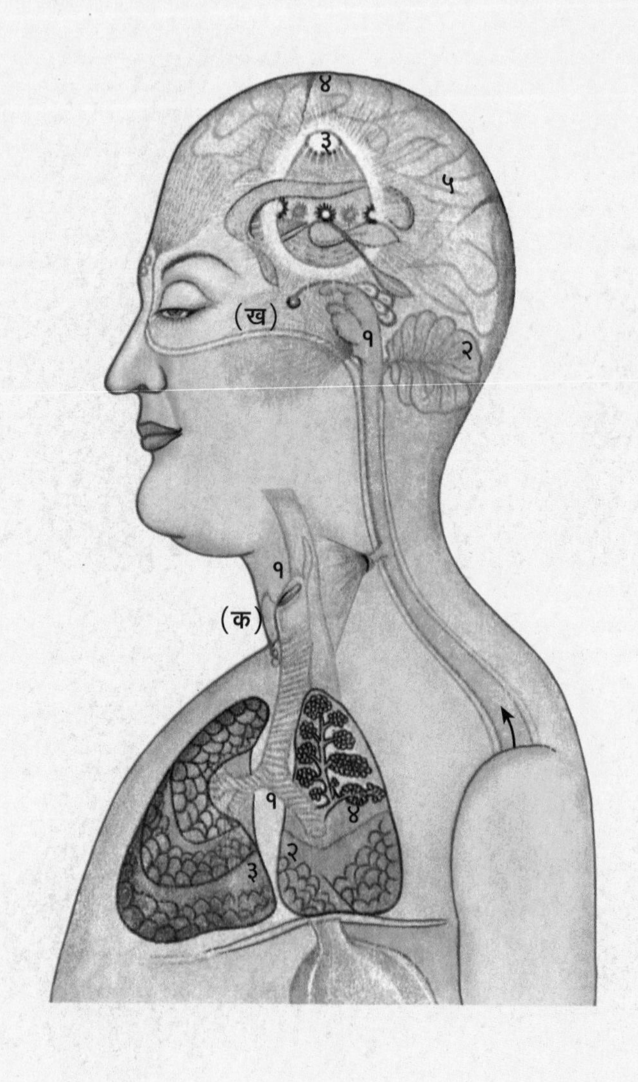

चित्र–10

सौषुम्ण-ज्योति

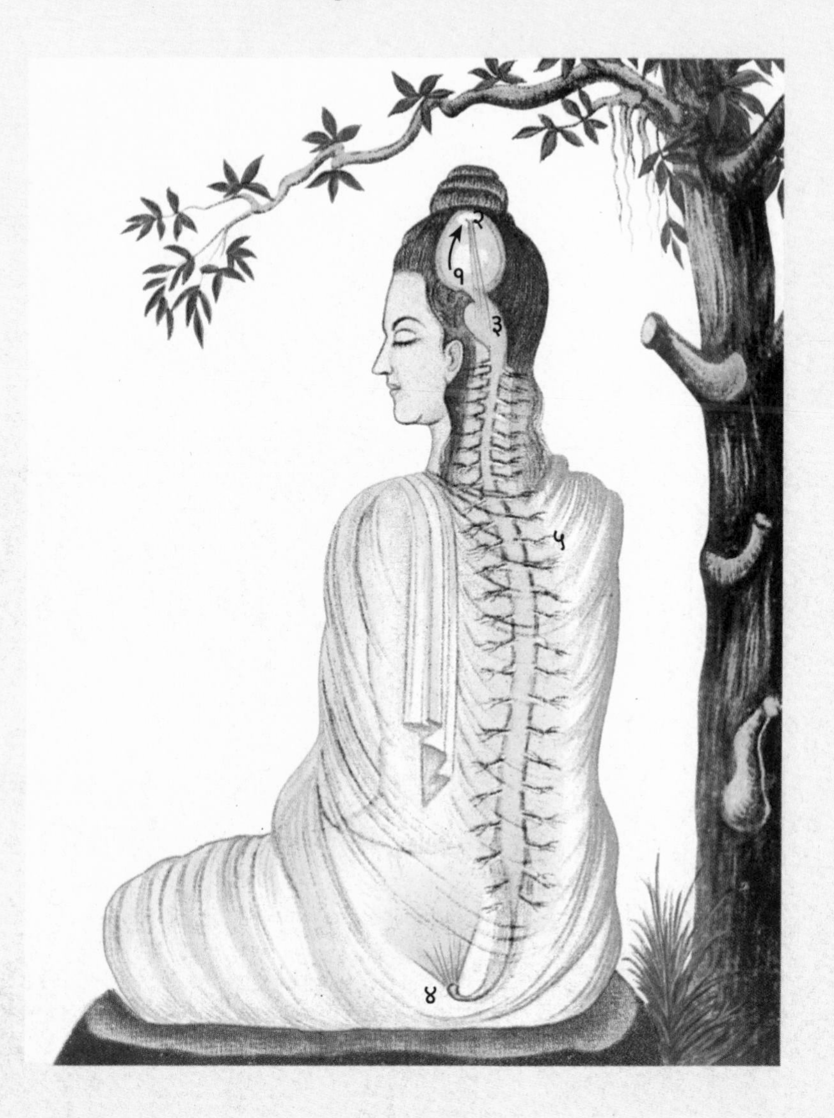

चित्र–11

चक्र-दर्शन

चित्र – 12

दिव्य दृष्टि का रूप

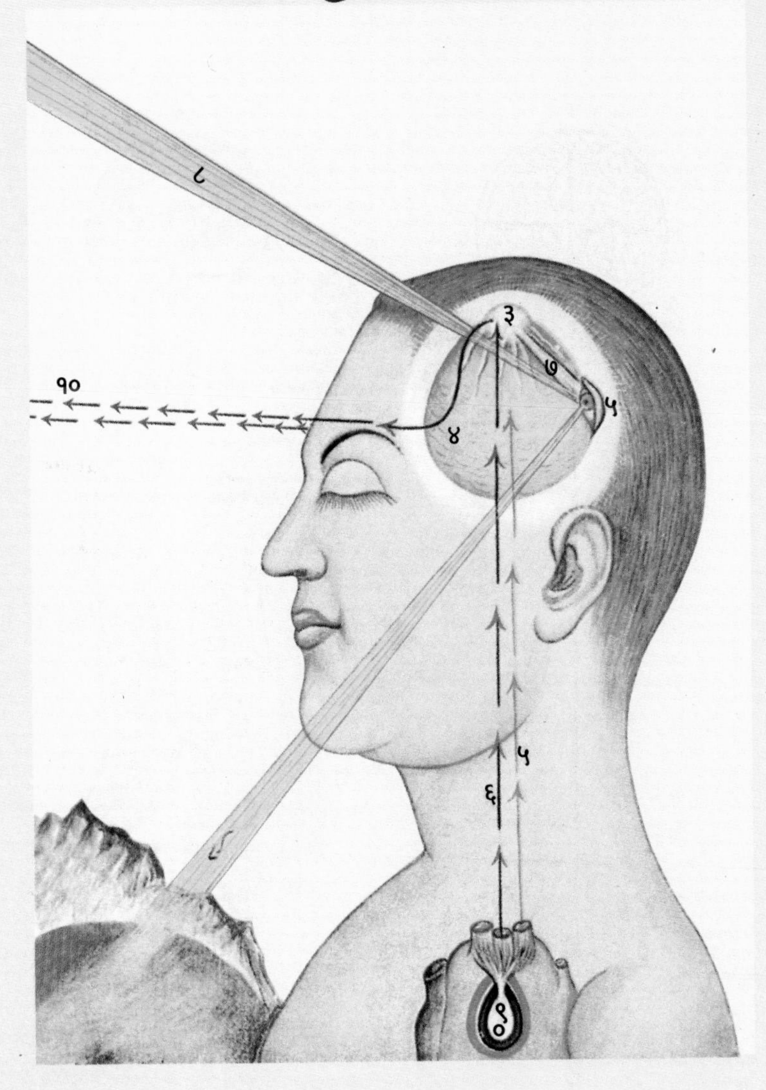

चित्र–13

पिंगल गंडमाला और सुषुम्ना के अंग

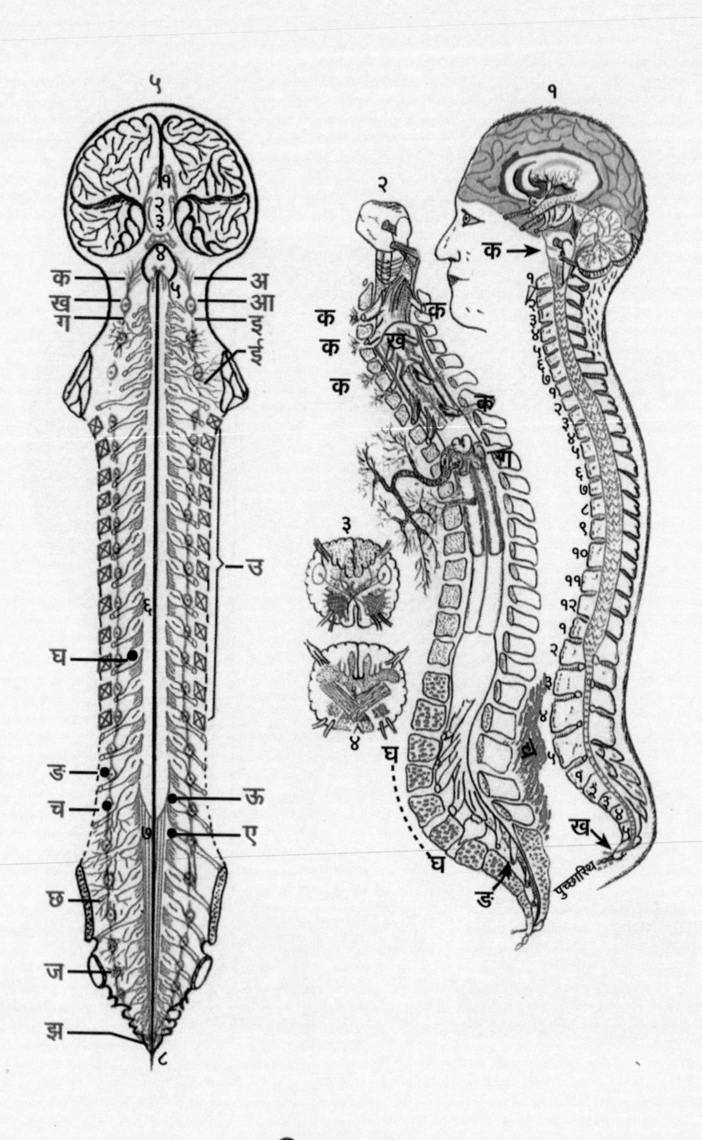

चित्र–14

गायत्री-ध्यान

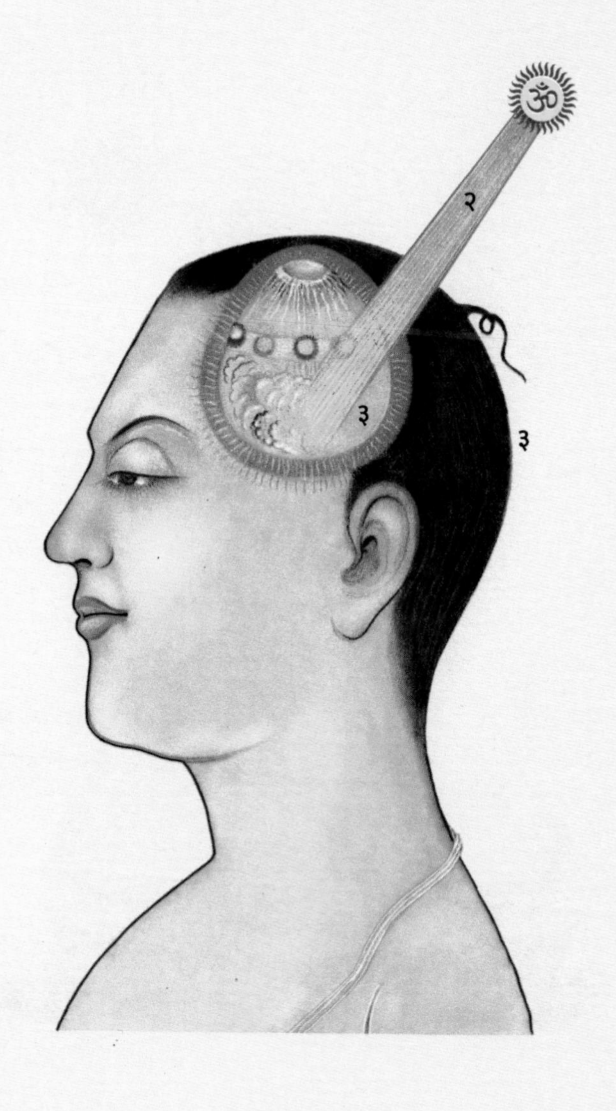

चित्र–15

दिव्य-आलोक-ध्यान
ॐ खं ब्रह्म का साक्षात्कार

चित्र – 16

प्रकाशकीय

''**धर्मार्थकाममोक्षाणामारोग्यं मूलमुत्तमम्**'' धर्म का अनुष्ठान, अर्थोपार्जन, दिव्यकामना (शिव–संकल्प) से सन्तति उत्पत्ति करना तथा मोक्ष की सिद्धि – इन चतुर्विध पुरुषार्थों को सिद्ध करने के लिए सर्वतोभावेन स्वस्थ होना परम आवश्यक है। जहाँ शरीर रोग ग्रस्त है वहाँ सुख, शान्ति व आनन्द कहाँ? भले ही धन, वैभव, ऐश्वर्य, इष्ट–कुटुम्ब तथा नाम, यश सब कुछ प्राप्त हो, फिर भी यदि शरीर स्वस्थ नहीं है, तो जीवन एक भार बन जाता है। जिनके शरीर व मन स्वस्थ नहीं, मस्तिष्क में चेतना, देह में स्फूर्ति तथा धमनियों में शक्ति नहीं, शरीर में रक्ताभिसरण ठीक से नहीं होता, अंग–प्रत्यंग सुदृढ़ नहीं एवं स्नायुओं में बल नहीं, वह मानव–शरीर मुर्दा ही कहा जाएगा। मानव जीवन में नीरोगी देह और स्वस्थ मन प्राप्त करने के लिए आयुर्वेद का प्रादुर्भाव हुआ है, जो आज भी विद्यमान है। शरीर के आन्तरिक मलों व दोषों को दूर करने तथा अन्तःकरण की शुद्धि करके समाधि द्वारा पूर्णानन्द की प्राप्ति हेतु ऋषि, मुनि तथा सिद्ध–योगियों ने यौगिक प्रक्रिया का आविष्कार किया है। योग प्रक्रियाओं के अन्तर्गत प्राणायाम का एक अतिविशिष्ट महत्त्व है।

दिव्य योग मन्दिर ट्रस्ट, कनखल, हरिद्वार के संस्थापक अध्यक्ष योगिराज श्रद्धेय स्वामी रामदेवजी महाराज के सान्निध्य में हजारों साधक प्रतिवर्ष प्राणायाम, ध्यानादि योग की विशिष्ट प्रक्रियाओं का क्रियात्मक प्रशिक्षण प्राप्त करते हुए तन के रोगों व मन के दोषों से मुक्ति पाते हैं। स्वामीजी महाराज का अपने अनुभवों के आधार पर विश्वास है कि अस्थमा,

हृदय रोग, मधुमेह, मोटापा, कब्ज, अम्लपित्तादि लगभग 80 प्रतिशत व्याधियाँ मात्र प्राणायाम के 15–20 मिनट के नियमित अभ्यास से अल्प समय में ही दूर हो जाती हैं तथा प्राणायाम से मन का निग्रह होने से ध्यान व समाधि की सिद्धि भी सहज ही हो जाती है।

इस पुस्तिका से बालक, वृद्ध, युवक, रोगी, नीरोगी, गृहस्थ, ब्रह्मचारी, वानप्रस्थी, संन्यासी तथा सर्वसाधारणजन लाभान्वित होंगे। ऐसी आशा हम करते हैं।

लक्ष्मीचन्द नागर 'मुनि'

सेवा–निवृत्त प्राचार्य

(शिक्षा–विभाग, राजस्थान सरकार)

आत्म–निवेदन

सिद्ध योगियों व पतञ्जलि आदि ऋषि–मुनियों द्वारा प्रतिपादित प्राणायाम एक पूर्ण वैज्ञानिक पद्धति है, जिससे असाध्य रोगों से मुक्ति के साथ मन की शांति व समाधि की प्राप्ति भी होती है। आाज योग के नाम पर कुछ तथाकथित योगी व्यक्ति समाज के लिए अष्टांग योग की अतिंमहत्ता एवं उपयोगिता को भुलाकर मात्र आसनों का ही अधिक प्रचार–प्रसार कर रहे हैं। इससे समाज में योग के नाम पर भ्रम व्याप्त होता जा रहा है। इसके लिए महर्षि पतञ्जलि प्रतिपादित अष्टांग योग को प्रचारित करना बहुत आवश्यक है, अन्यथा योग जैसा गरिमामय अति उदात्त शब्द भी संकीर्ण–सा होकर रह जायेगा।

हमने 'योग–साधना एवं योग–चिकित्सा रहस्य' नामक पुस्तक में प्राणायाम को छोड़कर योग का समग्र रूप से वर्णन किया है। इस 'प्राणायाम रहस्य' पुस्तक में प्राणायाम एवं कुण्डलिनी जागरण का अनुभवात्मक प्रामाणिक वर्णन देने का प्रयत्न किया है। लाखों व्यक्तियों पर प्रयोगात्मक अनुभवों के आधार पर मेरा मानना है कि प्राणायाम का आरोग्य एवं आध्यात्मिक दोनों ही दृष्टियों से विशेष महत्त्व है। रोगोपचार की दृष्टि से भी हड्डी के रोगों को छोड़कर शेष सभी व्याधियाँ आसनों से नहीं, अपितु प्राणायाम से ही दूर हो सकती हैं। हृदयरोग, अस्थमा, स्नायुरोग, वातरोग, मधुमेह आदि जटिल रोगों की प्राणायाम के बिना निवृत्ति नहीं हो सकती तथा आसन भी तभी पूर्ण लाभदायक होते हैं, जब प्राणायामपूर्वक किये जाते हैं।

प्राणायाम बालक से लेकर वृद्ध पर्यन्त सभी सहजता से कर सकते हैं। प्रस्तुत पुस्तक को योग साधकों के आग्रह पर पृथक् से प्रकाशित

किया जा रहा है। इस पुस्तक को आकर्षक व उपयोगी स्वरूप प्रदान करने के लिए साधक व परोपकारशील माननीय श्री लक्ष्मीचन्दजी नागर को हार्दिक साधुवाद देता हूँ, जो आश्रम के प्रकाशन सेवा प्रकल्पों में अहर्निश संलग्न हैं। यथोचित परामर्श हेतु आयुर्वेद के महान् मनीषी व गवेषक पूज्य आचार्य श्री बालकृष्णजी महाराज व श्रद्धेय आचार्य श्री कर्मवीरजी महाराज के प्रति कृतज्ञता प्रकट करते हुए प्राणायाम व ध्यान विषयक रंगीन चित्रों सहित पुस्तक को भव्यरूप में प्रकाशित करने के लिए आनन्द प्रिंटर्स प्रा. लि. के श्री प्रदीप ढेडिया को भी धन्यवाद देता हूँ तथा भगवान् से इनके समृद्ध दीर्घजीवन के लिए प्रार्थना करता हूँ।

योगिराज श्री जगन्नाथजी पथिक, जिनके आध्यात्मिक ज्ञान व अनुभवों से मैंने स्वयं बहुत कुछ पाया है; उनकी पुस्तक 'सन्ध्या–योग और ब्रह्म–साक्षात्कार' इस पुस्तक में चक्रादि से सम्बद्ध रंगीन छायाचित्रादि का संकलन किया है। एतदर्थ मैं ब्रह्मलीन साधक पूज्यपाद श्री पथिकजी महाराज के प्रति कृतज्ञ हूँ और आशान्वित हूँ कि योग साधकों के साधनापथ में यह पुस्तक सहयोगी होगी।

स्वामी रामदेव

प्राण का अर्थ एवं महत्त्व

पंच तत्त्वों में से एक प्रमुख तत्त्व वायु हमारे शरीर को जीवित रखनेवाला और वात के रूप में शरीर के तीन दोषों में से एक दोष है, जो श्वास के रूप में हमारा प्राण है।

पित्तः पंगुः कफः पंगुः पंगवो मलधातवः
वायुना यत्र नीयन्ते तत्र गच्छन्ति मेघवत्॥
पवनस्तेषु बलवान् विभागकरणान्मतः।
रजोगुणमयः सूक्ष्मः शीतो रूक्षो लघुश्चलः॥

– शार्गंधरसंहिता ५–२५/२६

पित्त, कफ, देह की अन्य धातुएँ तथा मल – ये सब पंगु हैं अर्थात् ये सभी शरीर में एक स्थान से दूसरे स्थान तक स्वयं नहीं जा सकते। इन्हें वायु ही जहाँ–तहाँ ले जाता है, जैसे आकाश में वायु बादलों को इधर–उधर ले जाता है। अतएव इन तीनों दोषों – वात, पित्त व कफ में वात (वायु) ही बलवान् है, क्योंकि वह सब धातु, मल आदि का विभाग करनेवाला और रजोगुण से युक्त सूक्ष्म अर्थात् समस्त शरीर के सूक्ष्म छिद्रों में प्रवेश करनेवाला, शीतवीर्य, रूखा, हल्का और चञ्चल है।

उपनिषदों में प्राण को ब्रह्म कहा है। प्राण शरीर के कण–कण में व्याप्त है, शरीर के कर्मेन्द्रियादि तो सो भी जाते हैं, विश्राम कर लेते हैं, किन्तु यह प्राण–शक्ति कभी भी न तो सोती है, न विश्राम ही करती है। रात–दिन अनवरत रूप से कार्य करती ही रहती है, चलती ही रहती है – ''चरैवेति चरैवेति'' यही इसका मूलमंत्र है। जब तक प्राण–शक्ति चलती रहती है, तभी तक प्राणियों की आयु रहती है। जब यह इस शरीर में काम करना बंद कर देती है, तब आयु समाप्त हो जाती है। प्राण जब तक कार्य करते रहते हैं, तभी तक जीवन है, प्राणी तभी तक जीवित कहलाता है। प्राण–शक्ति के कार्य बंद करने पर वह मृतक कहलाने लगता है। शरीर में प्राण ही तो सब कुछ है। अखिल ब्रह्माण्ड में प्राण सर्वाधिक शक्तिशाली व उपयोगी जीवनीय तत्व है। प्राण के आश्रय से ही जीवन है।

प्राण के कारण ही पिण्ड (देह) तथा ब्रह्माण्ड की सत्ता है। प्राण की अदृश्य शक्ति से ही सम्पूर्ण विश्व का संचालन हो रहा है। हमारा देह भी प्राण की ऊर्जा, शक्ति से क्रियाशील होता है। हमारे अन्नमय कोश (Physical Body) तथा दृश्य शरीर भी प्राणमय कोश (Ethrical Body) की अदृश्य शक्ति से संचालित होता है। आहार के बिना व्यक्ति वर्षों जीवित रह सकता है, परन्तु प्राण–तत्व के बिना कुछ पलों तक भी जीवित नहीं रह सकता। प्राणिक ऊर्जा (ओरा) ही हमारी जीवनी–शक्ति तथा रोग प्रतिरोधक–शक्ति का आधार है। सभी महत्त्वपूर्ण ग्रन्थियों (Glands), हृदय, फेफड़ों, मस्तिष्क एवं मेरुदण्ड सहित सम्पूर्ण शरीर को प्राण ही स्वस्थ एवं ऊर्जावान् बनाता है। प्राण की ऊर्जा से ही आँखों में दर्शन–शक्ति, कानों में श्रवण–शक्ति, नासिका में घ्राणत्व, वाणी में सरसता, मुख पर आभा, ओज व तेज, मस्तिष्क में ज्ञान–शक्ति व उदर में पाचन–शक्ति है। इसलिए उपनिषदों में ऋषि कहते हैं –

''प्राणो वाव ज्येष्ठश्च श्रेष्ठश्च।''

''प्राणस्येदं वशे सर्वं यत् त्रिदिवि प्रतिष्ठितम्''

मातेव पुत्रान् रक्षस्व श्रीश्च प्रज्ञां च विधेहि न इति।

प्रश्नोपनिषद् २/१३

पृथिवी, द्यु तथा अन्तरिक्ष–इन तीन लोकों में जो कुछ भी है वह सब प्राण के वश में है। हे प्राण! जैसे माता स्नेह भाव से पुत्रों की रक्षा करती है, वैसे ही तू हमारी रक्षा कर। हमें श्री (भौतिक सम्पदा) तथा प्रज्ञा (मानसिक व आत्मिक ऐश्वर्य) प्रदान कर।

प्राण के प्रकार

प्राण साक्षात् ब्रह्म से अथवा प्रकृति रूपी माया से उत्पन्न है। प्राण गत्यात्मक है। इस प्राण की गत्यात्मकता सदा गतिक वायु में पायी जाती है अतः गौणी वृत्ति से वायु को प्राण कह देते हैं। शरीरगत स्थानभेद से एक ही वायु प्राण, अपान आदि नामों से व्यवहृत होता है। प्राण–शक्ति एक है। इसी प्राण को स्थान व कार्यों के भेद से विविध नामों से जाना जाता है। देह में मुख्य रूप से पाँच प्राण तथा पाँच उपप्राण हैं।

पंच प्राणों की अवस्थिति तथा कार्य:

१. **प्राण :** शरीर में कंठ से लेकर हृदय पर्यन्त जो वायु कार्य करता है, उसे 'प्राण' कहा जाता है।

कार्य : यह प्राण नासिका–मार्ग, कंठ, स्वर–तन्त्र, वाक–इन्द्रिय, अन्न–नलिका, श्वसन–तन्त्र, फेफड़ों एवं हृदय को क्रियाशीलता तथा शक्ति प्रदान करता है।

२. **अपान :** नाभि के नीचे से लेकर पैर के अंगुष्ठ पर्यन्त जो प्राण कार्यशील रहता है, उसे 'अपान' प्राण कहते हैं।

३. **उदान :** कंठ के ऊपर से लेकर सिर पर्यन्त देह में अवस्थित प्राण को 'उदान' कहते हैं।

कार्य : कंठ से ऊपर शरीर के समस्त अङ्गों नेत्र, नासिका व सम्पूर्ण मुख मण्डल को ऊर्जा व आभा प्रदान करता है। पिच्युटरी व पिनियल ग्रन्थि सहित पूरे मस्तिष्क को 'उदान' प्राण क्रियाशीलता प्रदान करता है।

४. **समान :** हृदय के नीचे से लेकर नाभि पर्यन्त शरीर में क्रियाशील प्राण को 'समान' कहते हैं।

कार्य : यकृत, आन्त्र, प्लीहा व अग्न्याशय सहित सम्पूर्ण पाचन–तन्त्र की आन्तरिक कार्य प्रणाली को नियन्त्रित करता है।

५. **व्यान :** यह जीवनीय प्राण–शक्ति पूरे शरीर में व्याप्त है। शरीर की समस्त गतिविधियों को नियमित तथा नियन्त्रित करती है। सभी अङ्गों मांसपेशियों, तन्तुओं, संधियों एवं नाड़ियों को क्रियाशीलता ऊर्जा व शक्ति 'व्यान प्राण' ही प्रदान करता है।

इन पाँच प्राणों के अतिरिक्त शरीर में 'देवदत्त', 'नाग', 'कृंकल', 'कूर्म' व 'धनंजय' नामक पाँच उपप्राण हैं, जो क्रमशः छींकना, पलक झपकना, जंभाई लेना, खुजलाना, हिचकी लेना आदि क्रियाओं को संचालित करते हैं।

प्राणों का कार्य प्राणमय कोश से सम्बन्धित है और प्राणायाम इन्हीं प्राणों एवं प्राणमय कोश को शुद्ध, स्वस्थ और नीरोग रखने का प्रमुख कार्य करता है। इसीलिए प्राणायाम का सर्वाधिक महत्त्व और उपयोग भी है। प्राणायाम का अभ्यास शुरू करने से पहले इसकी पृष्ठभूमि का परिज्ञान बहुत आवश्यक है। अतः प्राणायाम रूपी प्राणसाधना के प्रकरण के आरम्भ में प्राणों से सम्बन्धित विवरण दिया गया है। पाठकों की सुविधार्थ प्राणदर्शन तालिका अगले पृष्ठ पर दी जा रही है।

प्राण–दर्शन–तालिका

मुख्य प्राण		गौण प्राण		चक्र	तत्त्व
नाम	स्थान	नाम	स्थान		
अपान	पेडू, गुदा	कूर्म	आँख की पलकों में	मूलाधार	पृथ्वी
व्यान	स्वाधिष्ठान चक्र से सम्बद्ध होकर पूरे शरीर में व्याप्त	धनंजय	अस्थि, मांस, त्वचा, रक्त, ज्ञानतन्तु, बाल आदि में	स्वाधिष्ठान	जल
समान	नाभि तथा आसपास का विस्तार	कृंकल	होजरी के ऊपर व श्वास नली के किनारे	मणिपूर	अग्नि (तेज)
प्राण	हृदय के आसपास का भाग	नाग	नाभि से थोड़ा ऊपर	अनाहत	वायु
उदान	हृदय, कण्ठ, तलवा, भृकुटि के मध्य व मस्तिष्क में	देवदत्त	श्वास नली के ऊपरी किनारे, गले में	विशुद्धि	आकाश

देह में स्थित पंचकोश

मनुष्य की आत्मा पाँच कोशों के साथ संयुक्त है। जिन्हें पंच शरीर भी कहते हैं। ये पाँच कोश निम्नानुसार हैं :

१. **अन्नमय कोश :** यह पांचभौतिक स्थूल शरीर का पहला भाग है। अन्नमय कोश त्वचा से लेकर अस्थिपर्यन्त पृथ्वी तत्त्व से सम्बन्धित है। आहार–विहार की शुचिता, आसन–सिद्धि और प्राणायाम करने से अन्नमय कोश की शुद्धि होती है।

२. **प्राणमय कोश :** शरीर का दूसरा भाग प्राणमय कोश है। शरीर और मन के मध्य में प्राण माध्यम है। ज्ञान कर्म के सम्पादन का समस्त कार्य प्राण से बना प्राणमय कोश ही करता है। श्वासोच्छ्वास के रूप में भीतर–बाहर जाने–आने वाला प्राण स्थान तथा कार्य के भेद से 10 प्रकार का माना जाता है। जैसे – व्यान, उदान, प्राण, समान और अपान मुख्य प्राण हैं तथा धनंजय, नाग, कूर्म, कृंकल और देवदत्त गौण प्राण या उपप्राण हैं। प्राण मात्र का मुख्य कार्य है – आहार का यथावत् परिपाक करना, शरीर में रसों को समभाव से विभक्त करना तथा वितरित करते हुए देहेन्द्रियों का तर्पण करना, रक्त के साथ मिलकर देह में सर्वत्र घूम–घूम कर मलों का निष्कासन करना, जो कि देह के विभिन्न भागों में रक्त में आ मिलते हैं। देह के द्वारा भोगों का उपभोग करना भी इसका कार्य है। प्राणायाम के नियमित अभ्यास से प्राणमय कोश की कार्यशक्ति बढ़ती है।

३. **मनोमय कोश :** सूक्ष्म शरीर के इस पहले क्रिया प्रधान भाग को मनोमय कोश कहते हैं। मनोमय कोश के अन्तर्गत मन, बुद्धि, अहंकार और चित्त हैं, जिन्हें अन्तःकरण चतुष्टय कहते हैं। पाँच कर्मेन्द्रियाँ हैं, जिनका सम्बन्ध बाह्य जगत् के व्यवहार से अधिक रहता है।

४. **विज्ञानमय कोश :** सूक्ष्म शरीर का दूसरा भाग, जो ज्ञान प्रधान

है, वह विज्ञानमय कोश कहलाता है। इसके मुख्य तत्त्व ज्ञानयुक्त बुद्धि एवं ज्ञानेन्द्रियां हैं। जो मनुष्य ज्ञानपूर्वक विज्ञानमय कोश को ठीक से जान–समझ कर उचित रूप से आचार–विचार करता है और असत्य, भ्रम, मोह, आसक्ति आदि से सर्वथा अलग रहकर निरन्तर ध्यान व समाधि का अभ्यास करता है, उसे ऋतम्भरा प्रज्ञा उपलब्ध हो जाती है।

५. **आनन्दमय कोश:** इस कोश को हिरण्यमय कोश, हृदयगुहा, हृदयाकाश, कारणशरीर, लिंगशरीर आदि नामों से भी पुकारा जाता है। यह हमारे हृदय प्रदेश में स्थित होता है। हमारे आन्तरिक जगत् से इसका सम्बन्ध अधिक रहता है, बाह्य जगत् से बहुत कम। हमारा जीवन, हमारे स्थूल शरीर का अस्तित्व और संसार के समस्त व्यवहार इसी कोश पर आश्रित हैं। निर्बीज समाधि की प्राप्ति होने पर साधक आनन्दमय कोश में जीवन मुक्त होकर सदा आनन्दमय रहता है।

ॐ प्राण–साधना ॐ

प्राण का मुख्य द्वार नासिका है। नासिका–छिद्रों के द्वारा आता–जाता श्वास–प्रश्वास जीवन तथा प्राणायाम का आधार है। श्वास–प्रश्वास रूपी रज्जु का आश्रय लेकर यह मन देहगत आन्तरिक जगत् में प्रविष्ट होकर साधक को वहाँ की दिव्यता का अनुभव करा दे, इसी उद्देश्य को लेकर प्राणायाम विधि का आविष्कार ऋषि–मुनियों ने किया था।

योगदर्शन के अनुसार – **'तस्मिन् सति श्वासप्रश्वासयोर्गतिर्विच्छेदः प्राणायामः'** (योगदर्शन 2/49) अर्थात् आसन की सिद्धि होने पर श्वास–प्रश्वासों की गति को रोकना प्राणायाम है। जो वायु श्वास लेने पर बाहर से शरीर के अन्दर फेफड़ों में पहुँचती है, उसे श्वास (Inspiration) और श्वास बाहर छोड़ने पर जो वायु भीतर से बाहर जाती है, उसे प्रश्वास (Expiration) कहते हैं। प्राणायाम करने के लिये श्वास अन्दर लेना 'पूरक', श्वास को अन्दर रोककर रखने को 'कुम्भक' तथा श्वास को बाहर छोड़ना 'रेचक' कहलाता है। श्वास को बाहर ही रोककर रखने को 'बाह्यकुम्भक' कहते हैं। इस प्रकार प्राणायाम करने के लिये पूरक, कुम्भक, रेचक और बाह्यकुम्भक क्रियाएँ की जाती हैं। अच्छी तरह प्राणायाम सिद्ध हो जाने पर जब नियमित रूप से विधिपूर्वक प्राणायाम का अभ्यास किया जाता है, तब **'ततः क्षीयते प्रकाशावरणम्'** (योगदर्शन 2/52) के अनुसार ज्ञानरूपी प्रकाश को ढकने वाला अज्ञान का आवरण हट जाता है और **'धारणासु च योग्यता मनसः'** (योगदर्शन 2/53) के अनुसार प्राणायाम सिद्ध हो जाने पर मन में योग के छठे अंग धारणा की योग्यता आ जाती है। जब श्वास शरीर में आता है तो मात्र वायु या ऑक्सीजन ही नहीं आती है, अपितु एक अखण्ड दिव्य शक्ति भी अन्दर जाती है, जो शरीर में जीवनीशक्ति को बनाये रखती है। प्राणायाम करना केवल श्वास का लेना

और छोड़ना मात्र नहीं होता, बल्कि वायु के साथ ही प्राण–शक्ति या जीवनी–शक्ति (Vital Force) को भी लेना होता है। यह जीवनीशक्ति सर्वत्र व्याप्त, सदा विद्यमान रहती है। जिसे हम ईश्वर, गॉड (God) या खुदा आदि जो भी नाम दें, वह परम शक्ति तो एक ही है और उससे ठीक से जुड़ना और जुड़े रहने का अभ्यास करना ही प्राणायाम है।

प्राणायाम का महत्त्व एवं लाभ

प्राण का आयाम (नियन्त्रण) ही प्राणायाम है। हमारे शरीर में जितनी भी चेष्टाएँ होती हैं, सभी का प्राण से प्रत्यक्ष या परोक्ष सम्बन्ध है। प्रतिक्षण जीवन और मृत्यु का जो अटूट सम्बन्ध मनुष्य के साथ है, वह भी प्राण के संयोग से ही है। संस्कृत भाषा में जीवन शब्द 'जीव–प्राणधारणे' धातु से बना है और मृत्यु शब्द 'मृङ् प्राणत्यागे से'। हमारे वेद शास्त्र एवं उपनिषदों में प्राण की अनन्त महिमा गाई गयी है। अथर्ववेद में कहा है – **'प्राणापानौ मृत्योर्मा पात स्वाहा'** अर्थात् प्राण और अपान ये दोनों मेरी मृत्यु से रक्षा करें। मनु महाराज प्राणायाम के विषय में कहते हैं :

दह्यन्ते ध्मायमानानां धातूनां हि यथा मलाः।
तथेन्द्रियाणां दह्यन्ते दोषाः प्राणस्य निग्रहात्॥

(मनु ६/७१)

जैसे अग्नि आदि में तपाने से सुवर्ण आदि धातुओं के मल, विकार नष्ट हो जाते हैं वैसे ही प्राणायाम से इन्द्रियों एवं मन के दोष दूर होते हैं। हठयोग प्रदीपिका में कहा है –

प्राणायामैरेव सर्वे प्रशुष्यन्ति मला इति।
आचार्याणान्तु केषाञ्चिदन्यत् कर्म न सम्मतम्॥

(हठ प्र. २/३८)

गोरक्ष शतक के अनुसार आसन से योगी को रजोगुण, प्राणायाम से पापनिवृत्ति और प्रत्याहार से मानसिक विकार दूर करनी चाहिए।

आसनेन रुजो हन्ति प्राणायामेन पातकम्।
विकारं मानसं योगी प्रत्याहारेण सर्वदा॥

प्राण एवं मन का घनिष्ठ सम्बन्ध है। प्राण के रुकने से मन स्वतः एकाग्र हो जाता है।

चले वाते चलं चित्तं निश्चले निश्चलं भवेत्। (ह०प्र० २/२)

प्राणायाम करने से मन के ऊपर आया हुआ असत्, अविद्या व क्लेश रूपी तमस् का आवरण क्षीण हो जाता है। परिशुद्ध हुए मन में धारणा (एकाग्रता) स्वतः होने लगती है तथा धारणा से योग की उन्नत स्थितियों ध्यान एवं समाधि की ओर आगे बढ़ा जाता है।

योगासनों से हम स्थूल शरीर की विकृतियों को दूर करते हैं। सूक्ष्म शरीर पर योगासनों की अपेक्षा प्राणायाम का विशेष प्रभाव होता है। सूक्ष्म शरीर ही नहीं प्राणायाम से स्थूल शरीर पर भी विशेष प्रभाव प्रत्यक्ष रूप से होता है। हमारे शरीर में फेफड़ों, हृदय एवं मस्तिष्क का एक विशेष महत्त्व है और इन तीनों का एक दूसरे के स्वास्थ्य से घनिष्ठ सम्बन्ध भी है।

स्थूल रूप से प्राणायाम श्वास–प्रश्वास के व्यायाम की एक पद्धति है, जिससे फेफड़े बलिष्ठ होते हैं, रक्त संचार की व्यवस्था सुधरने से समग्र आरोग्य एवं दीर्घ आयु का लाभ मिलता है। शरीर–विज्ञान के अनुसार मानव के दोनों फेफड़े श्वास को अपने भीतर भरने के लिये वे यन्त्र हैं, जिनमें भरी हुई वायु समस्त शरीर में पहुँचकर ओषजन अर्थात् ऑक्सीजन प्रदान करती है और विभिन्न अवयवों से उत्पन्न हुई मलीनता (कार्बोनिक गैस) को निकालकर बाहर करती है। यह क्रिया ठीक तरह होती रहने से फेफड़े मजबूत होते हैं और रक्त–शोधन का कार्य चलता रहता है।

प्रायः अधिकांश व्यक्ति गहरा श्वास लेने के अभ्यस्त नहीं होते, जिससे फेफड़ों का लगभग एक चौथाई भाग की कार्य करता है। शेष तीन चौथाई भाग लगभग निष्क्रिय पड़ा रहता है। शहद की मक्खी के छत्ते की तरह फेफड़ों में प्रायः सात करोड़ तीस लाख 'स्पंज' जैसे कोष्ठक होते हैं। साधारण हल्का श्वास लेने पर उनमें से लगभग दो करोड़ छिद्रों में ही प्राणवायु का संचार होता है, शेष पांच करोड़ तीस लाख छिद्रों में

प्राणवायु न पहुँचने से ये निष्क्रिय पड़े रहते हैं। परिणामतः इनमें जड़ता और मल अर्थात् विजातीय द्रव्य जमने लगते हैं, जिससे क्षय (टी.बी.), खाँसी, ब्राँकाइटिस आदि भयंकर रोगों से व्यक्ति आक्रांत हो जाता है।

इस प्रकार फेफड़ों की कार्यपद्धति का अधूरापन रक्त–शुद्धि पर प्रभाव डालता है। हृदय कमजोर होता है और परिणामतः अकाल मृत्यु नित्य ही उपस्थित रहती है। इस स्थिति में प्राणायाम की महत्ता व्यक्ति की दीर्घ आयु के लिए अत्यधिक हो जाती है। विभिन्न रोगों का निवारण प्राण–वायु का प्राणायाम के द्वारा नियमन करने से सहजतापूर्वक किया जा सकता है। इस विज्ञान अर्थात् प्राण वायु के विज्ञान की जानकारी से मानव स्वयं तथा दूसरों के स्वास्थ्य को सुव्यवस्थित करके सुखी एवं आनन्द पूर्ण जीवन का पूर्ण लाभ लेता हुआ अपनी आयु को बढ़ा सकता है। यही कारण है कि सनातन धर्म, शुभ कार्य में तथा सन्ध्योपासना के नित्य–कर्म में 'प्राणायाम' को एक आवश्यक धर्म, कृत्य के रूप में सम्मिलित करता है।

उद्वेग, चिन्ता, क्रोध, निराशा, भय और कामुकता आदि मनोविकारों का समाधान 'प्राणायाम' द्वारा सरलतापूर्वक किया जा सकता है। इतना ही नहीं, मस्तिष्क की क्षमता बढ़ाकर स्मरण–शक्ति, कुशाग्रता, सूझबूझ, दूरदर्शिता, सूक्ष्म निरीक्षण, धारणा, प्रज्ञा, मेधा आदि मानसिक विशेषताओं का अभिवर्धन करके 'प्राणायाम' द्वारा दीर्घजीवी बनकर जीवन का वास्तविक आनन्द प्राप्त किया जा सकता है।

प्राणायाम करने से दीर्घश्वसन का अभ्यास भी स्वतः होने लगता है। भगवान् की ओर से हमें जो जीवन मिला है; उसमें प्राण श्वास गिनकर मिलते हैं। जिसके जैसे कर्म होते हैं उसी के अनुसार उसको अगला जन्म मिलता है।

सति मूले तद्विपाको जात्यायुर्भोगाः (योगदर्शन २/१३)

पुण्य या अपुण्य कर्म के फलस्वरूप ही व्यक्ति को मनुष्य, पशु, पक्षी, कीटादि योनियों में जन्म, आयु और भोग प्राप्त होता है। प्राणायाम करनेवाला अपने श्वासों का कम प्रयोग करता है; इसलिये वह दीर्घायु भी होता है। वैसे भी इस सृष्टि में जो प्राणी जितने कम श्वास लेते हैं; उतने ही दीर्घजीवी भी होते हैं। इसको हम अधोलिखित तालिका से सम्यक् प्रकार से जान सकते हैं :

प्राणी		1 मिनट में श्वास संख्या	प्राणी		1 मिनट में श्वास संख्या
(1)	कबूतर	34	(8)	बकरी	24
(2)	चिड़िया	30	(9)	बिल्ली	24
(3)	बत्तख	22	(10)	सर्प	19
(4)	बन्दर	30	(11)	हाथी	22
(5)	कुत्ता	28	(12)	मनुष्य	15
(6)	सूअर	30	(13)	कछुआ	5
(7)	घोड़ा	26			

इन प्राणियों में जो प्राणी जिस गति से श्वास लेता है उसी के अनुसार उसकी आयु भी है ऐसा हम प्रत्यक्ष देखते हैं। कछुए चार–चार सौ वर्ष तक की आयु के भी पाये जाते हैं। योगाभ्यासी पुरुष की प्रारम्भ में श्वास संख्या 8 तथा प्राणायाम व ध्यान के नियमित अभ्यास से 4 तक श्वास संख्या हो जाती है। अतः योगी 400 वर्ष तक की दीर्घ आयु प्राप्त कर सकता है।

प्राणायाम हेतु कुछ नियम

(1) प्राणायाम शुद्ध सात्विक निर्मल स्थान पर करना चाहिए। यदि संभव हो तो जल के समीप बैठकर अभ्यास करें।

(2) शहरों में जहाँ प्रदूषण का अधिक प्रभाव होता है, वहाँ प्राणायाम से पहले ही घृत व गुग्गुल से उस स्थान को सुगन्धित करें। अधिक नहीं कर सकते, तो घी का दीपक जलाइए।

(3) प्राणायाम के लिये सिद्धासन, वज्रासन या पद्मासन में बैठना उपयुक्त है। बैठने के लिए जिस आसन का प्रयोग करते हैं वह विद्युत् का कुचालक होना चाहिए यथा कम्बल या कुशासन आदि।

(4) श्वास सदा नासिका से ही लेना चाहिए। इससे श्वास फिल्टर होकर अन्दर जाता है। दिन में भी श्वास नासिका से ही लेना चाहिए। इससे शरीर का तापमान भी इड़ा, पिंगला नाड़ी के द्वारा सुव्यवस्थित रहता है और विजातीय तत्त्व नासा छिद्रों में ही रुक जाते हैं।

(5) योगासन की तरह प्राणायाम करने के लिए कम से कम चार–पाँच घण्टे पूर्व भोजन कर लेना चाहिए। प्रातःकाल शौचादि से निवृत्त होकर योगासनों से पूर्व प्राणायाम करें तो सर्वोत्तम है। शुरू में 5–10 मिनट ही अभ्यास करें तथा धीरे–धीरे बढ़ाते हुए आधा से एक घण्टे तक करना चाहिये। हमेशा नियत संख्या में करें, कम या ज्यादा न करें। यदि प्रातः उठकर पेट साफ नहीं होता है तो सायंकाल सोने से पहले हरड़ चूर्ण या त्रिफला चूर्ण गरम पानी से ले लेवें। कुछ दिन कपालभाति प्राणायाम करने से कब्ज भी स्वतः दूर हो जाता है।

(6) प्राणायाम करते समय मन शान्त एवं प्रसन्न होना चाहिए। वैसे प्राणायाम से भी मन शान्त, प्रसन्न व एकाग्र होता है।

(7) प्राणायामों को अपनी–अपनी प्रकृति और ऋतु के अनुकूल करना चाहिए। कुछ प्राणायमों से शरीर में गर्मी बढ़ती है तो कुछ से ठण्डक कुछ सामान्य होते हैं।

(8) प्राणायाम करते हुए थकान अनुभव हो तो दूसरा प्राणायाम करने से पूर्व 5–6 सामान्य दीर्घ श्वास लेकर विश्राम कर लेना चाहिए।

(9) गर्भवती महिला, भूख से पीड़ित, ज्वररोगी एवं अजितेन्द्रिय पुरुष को प्राणायाम नहीं करना चाहिए। रोगी व्यक्ति को प्राणायाम के साथ दी गई सावधानी का ध्यान रखते हुये प्राणायाम करना चाहिए।

(10) प्राणायाम के दीर्घ अभ्यास के लिये पूर्ण ब्रह्मचर्य का पालन करें। भोजन सात्त्विक व चिकनाई युक्त हों। दूध, घृत एवं फलों का प्रयोग हितकर है।

(11) प्राणायाम में श्वास को हठपूर्वक नहीं रोकना चाहिए। प्राणायाम करने के लिये श्वास अन्दर लेना 'पूरक', श्वास को अन्दर रोककर रखना 'कुम्भक', श्वास को बाहर फेंकना 'रेचक' और श्वास को बाहर ही रोक कर रखने को 'बाह्यकुम्भक' कहते हैं।

(12) प्राणायाम का अर्थ सिर्फ पूरक, कुंभक व रेचक ही नहीं वरन् श्वास और प्राणों की गति को नियन्त्रित और संतुलित करते हुए मन को भी स्थिर व एकाग्र करने का अभ्यास करना है।

(13) प्राणायाम से पूर्व कई बार 'ओ३म्' का लम्बा नादपूर्ण उच्चारण करना, और भजन–कीर्तन करना उचित है। ऐसा करने से मन शान्त एवं एकाग्र हो जाता है। प्राणायाम का अभ्यास करने के लिये मन का शांत और विचार रहित होना बहुत आवश्यक है। प्राणायाम करते समय गायत्री, प्रणव (ओ३म्) का जाप करना आध्यात्मिक रूप से विशेष गुणकारी है।

(14) प्राणायाम करते समय मुख, आँख, नाक आदि अंगों पर किसी

प्रकार तनाव न लाकर सहजावस्था में रखना चाहिए। प्राणायाम के अभ्यास काल में ग्रीवा, मेरुदंड, वक्ष, कटि को सदा सीधा रखकर बैठा करें, तभी अभ्यास यथाविधि तथा फलप्रद होगा।

(15) प्राणायाम का अभ्यास धीरे–धीरे बिना किसी, उतावली के, धैर्य के साथ, सावधानी के साथ करना चाहिए।

यथा सिंहो गजो व्याघ्रो भवेद् वश्य: शनै: शनै:।
तथैव वश्यते वायु: अन्यथा हन्ति साधकम्॥

सिंह, हाथी या बाघ जैसे हिंसक जंगली प्राणियों को बहुत धीरे–धीरे अति सावधानी से वश में किया जाता है। उतावली करने से ये प्राणी हमला कर प्रशिक्षक की हानि भी कर सकते हैं। इसी प्रकार प्राणायाम को धीरे–धीरे बढ़ाते रहना चाहिए।

(16) प्राणायाम यथासम्भव स्नानादि से निवृत्त होकर ध्यान–उपासना से पूर्व करना चाहिए। प्राणायाम के पश्चात् यदि स्नान करना हो तो 15–20 मिनट बाद कर सकते हैं। स्वयं पुस्तकें पढ़कर देखा–देखी कदापि अभ्यास न करें। अनुभवी आचार्य के मार्गदर्शन में उनकी देखरेख में प्राणायामों, आसनों, मुद्राओं आदि की शिक्षा लें।

(17) सभी प्रकार के प्राणायामों के अभ्यास से पूर्णलाभ उठाने के लिये गीता का निम्नश्लोक कण्ठस्थ करके स्मरण करते हुए व्यवहार में लायें :–

'युक्ताहारविहारस्य युक्तचेष्टस्य कर्मसु।
युक्तस्वप्नावबोधस्य योगो भवति दु:खहा॥'

अर्थात् – जिस व्यक्ति का आहार–विहार ठीक नहीं है, जिस व्यक्ति की सांसारिक कार्यों के करने की निश्चित दिनचर्या नहीं है और जिस व्यक्ति को सोने–जागने की दिनचर्या भी निश्चित नहीं है, ऐसा व्यक्ति यदि योग करने का दम्भ करता है, तो उसे योग का कोई लाभ नहीं मिल सकता, वह योग करके भी दु:खी रहता है।

प्राणायाम में उपयोगी बन्धत्रय

योगासन, प्राणायाम एवं बन्धों के द्वारा हमारे शरीर से जिस शक्ति का बहिर्गमन होता है, उसे रोककर अन्तर्मुखी करते हैं। बन्ध का अर्थ ही है बांधना, रोकना। ये बन्ध प्राणायाम में अत्यन्त सहायक हैं। बिना बन्ध के प्राणायाम अधूरे हैं। इन बन्धों का क्रमशः वर्णन करते हैं।

जालन्धर बन्ध:

पद्मासन या सिद्धासन में सीधे बैठकर श्वास को अन्दर भर लीजिये। दोनों हाथ घुटनों पर टिके हुए हों अब ठोडी को थोड़ा नीचे झुकाते हुए कंठकूप में लगाना जालन्धर बन्ध कहलाता है। दृष्टि भ्रूमध्य में स्थित कीजिए। छाती आगे की ओर तनी हुई होगी। यह बंध कण्ठस्थान के नाड़ी जाल के समूह को बांधे रखता है।

लाभ :
1. कण्ठ मधुर, सुरीला और आकर्षक होता है।
2. कण्ठ के संकोच द्वारा इड़ा, पिंगला नाड़ियों के बन्द होने पर प्राण का सुषुम्णा में प्रवेश होता है।
3. गले के सभी रोगों में लाभप्रद है। थायराइड, टांसिल आदि रोगों में अभ्यसनीय है।
4. विशुद्धि चक्र की जागृति करता है।

उड्डीयान बन्ध:

जिस क्रिया से प्राण उठकर, उत्थान होकर सुषुम्णा में प्रविष्ट हो जाय उसे उड्डीयान बन्ध कहते हैं। खड़े होकर दोनों हाथों को सहजभाव से दोनों घुटनों पर रखिए। श्वास बाहर निकालकर पेट को ढीला छोड़िए। जालन्धर बन्ध लगाते हुये छाती को थोड़ा ऊपर की ओर उठाइए। पेट को कमर से लगा दीजिए। यथाशक्ति करने के पश्चात् पुनः श्वास लेकर पूर्ववत् दोहराइए। प्रारम्भ में तीन बार करना पर्याप्त है। धीरे–धीरे अभ्यास बढ़ाना चाहिए।

इसी प्रकार पद्मासन या सिद्धासन में बैठकर भी इस बन्ध को लगाइए (द्रष्टव्य संलग्न चित्र नं01)।

लाभ :

1. पेट सम्बन्धी समस्त रोगों को दूर करता है।
2. प्राणों को जागृत कर मणिपूर चक्र का शोधन करता है।

मूलबन्ध:

सिद्धासन या पद्मासन में बैठर बाह्य या आभ्यन्तर कुम्भक करते हुए, गुदाभाग एवं मूत्रेन्द्रिय को ऊपर की ओर आकर्षित करें। इस बन्ध में नाभि के नीचे वाला हिस्सा खिंच जायेगा। यह बन्ध बाह्यकुम्भक के साथ लगाने में सुविधा रहती है। वैसे योगाभ्यासी साधक इसे कई–कई घण्टों तक सहजावस्था में भी लगाये रखते हैं। दीर्घ अभ्यास किसी के सान्निध्य में करना उचित है।

लाभ :

1. इससे अपान वायु का ऊर्ध्वगमन होकर प्राण के साथ एकता होती है। इस प्रकार यह बंध मूलाधार चक्र की जागृति कर कुण्डलिनी जागरण में अत्यन्त सहायक है।
2. कोष्ठबद्धता और बवासीर को दूर करने तथा जठराग्नि को तेज करने के लिये यह बन्ध अति उत्तम है।
3. वीर्य को ऊर्ध्वरेतस् बनाता है, अतः ब्रह्मचर्य के लिये यह बंध महत्त्वपूर्ण है।

महाबन्ध:

पद्मासन आदि किसी भी एक ध्यानात्मक आसन में बैठकर तीनों बन्धों को एक साथ लगाना महाबन्ध कहलाता है। इससे वे सभी लाभ मिल जाते है, जो पूर्व निर्दिष्ट हैं। कुम्भक में ये तीनों बन्ध लगते हैं।

लाभ :

1. प्राण ऊर्ध्वगामी होता है।
2. वीर्य की शुद्धि और बल की वृद्धि होती है।
3. महाबंध से इड़ा, पिंगला और सुषुम्णा का संगम प्राप्त होता है।

प्राणायाम के लिए बैठने की विधि

जब भी आप प्राणायाम करें आपकी रीढ़ की हड्डी सीधी होनी चाहिए। इसके लिए आप किसी भी ध्यानात्मक आसन में बैठ जाएँ। जैसे– सिद्धासन, पद्मासन, सुखासन, वज्रासन आदि। यदि आप किसी भी आसन में नहीं बैठ सकते तो कुर्सी पर भी सीधे बैठकर प्राणायाम कर सकते हैं, परन्तु रीढ की हड्डी को सदा सीधा रखें। आजकल लोग चलते–फिरते या प्रातःभ्रमण के समय भी घूमते हुए नाड़ी शोधन आदि प्राणायामों को करते रहते हैं, यह सब गलत प्रक्रिया है। इससे कभी तीव्र हानि भी हो सकती है। प्राणायाम करने से प्राणशक्ति का उत्थान होता है तथा मेरुदण्ड से जुड़े हुए चक्रों का जागरण होता है। अतः प्राणायाम में सीधा बैठना अति आवश्यक है। बैठकर प्राणायाम करने से ही मन का भी निग्रह होता है।

प्राणायाम की सम्पूर्ण सात प्रक्रियाएँ

यद्यपि प्राणायाम की विभिन्न विधियाँ शास्त्रों में वर्णित हैं और प्रत्येक प्राणायाम का अपना एक विशेष महत्त्व है, तथापि सभी प्राणायमों का व्यक्ति प्रतिदिन अभ्यास नहीं कर सकता। अतः हमने गुरुओं की कृपा व अपने अनुभव के आधार पर प्राणायाम की एक सम्पूर्ण प्रक्रिया को विशिष्ट वैज्ञानिक रीति व आध्यात्मिक विधि से सात प्रक्रियाओं में क्रमबद्ध व समयबद्ध किया है। इस पूरी प्रक्रिया में लगभग 20 मिनट का समय लगता है। प्राणायाम के इस पूर्ण अभ्यास को करने से व्यक्ति को जो मुख्य

लाभ होते हैं, संक्षेप में इस प्रकार हैं :

1. वात, पित्त व कफ त्रिदोषों का शमन होता है।
2. पाचन तंत्र पूर्ण स्वस्थ हो जाता है तथा समस्त उदर रोग दूर होते हैं।
3. हृदय, फेफड़े व मस्तिष्क सम्बन्धी समस्त रोग दूर होते हैं।
4. मोटापा, मधुमेह, कोलेस्ट्रोल, कब्ज, गैस, अम्लपित्त, श्वास रोग, एलर्जी, माइग्रेन, रक्तचाप, किडनी के रोग, पुरुष व स्त्रियों के समस्त यौन रोग आदि सामान्य रोगों से लेकर कैन्सर तक सभी साध्य–असाध्य रोग दूर होते हैं।
5. रोग प्रतिरोधक क्षमता अत्यधिक विकसित हो जाती है।
6. वंशानुगत डायबिटीज व हृदयरोग आदि से बचा जा सकता है।
7. बालों का झड़ना व सफेद होना, चेहरे पर झुर्रियाँ पड़ना, नेत्र ज्योति के विकार, स्मृति दौर्बल्य आदि से बचा जा सकता है। अर्थात् बुढ़ापा देर से आयेगा तथा आयु बढ़ेगी।
8. मुख पर आभा, ओज, तेज व शान्ति आयेगी।
9. चक्रों के शोधन, भेदन व जागरण द्वारा आध्यात्मिक शक्ति (कुण्डलिनी जागरण) की प्राप्ति होगी।
10. मन अत्यन्त स्थिर, शान्त व प्रसन्न तथा उत्साहित होगा तथा डिप्रेशन आदि रोगों से बचा जा सकेगा।
11. ध्यान स्वतः लगने लगेगा तथा घण्टों तक ध्यान का अभ्यास करने का सामर्थ्य प्राप्त होगा।
12. स्थूल व सूक्ष्म देह के समस्त रोग व काम, क्रोध, लोभ, मोह व अहंकार आदि दोष नष्ट होते हैं।
13. शरीरगत समस्त विकार, विजातीय तत्त्व, टाक्सिंस नष्ट हो जाते हैं।
14. नकारात्मक विचार समाप्त होते हैं तथा प्राणायाम का अभ्यास करनेवाला व्यक्ति सदा सकारात्मक विचार, चिन्तन व उत्साह से भरा हुआ होता है।

१. प्रथम प्रक्रिया – भस्त्रिका प्राणायाम :

किसी ध्यानात्मक आसन में सुविधानुसार बैठकर दोनों नासिकाओं से श्वास को पूरा अन्दर डायाफ्राम तक भरना व बाहर भी पूरी शक्ति के साथ छोड़ना भस्त्रिका प्राणायाम कहलाता है। इस प्राणायाम को अपने–अपने सामर्थ्य के अनुसार तीन प्रकार से किया जा सकता है। मन्द गति से, मध्यम गति से तथा तीव्र गति से। जिनके फेफड़े व हृदय कमजोर हों; उनको मन्दगति से रेचक व पूरक करते हुए यह प्राणायाम करना चाहिए। स्वस्थ व्यक्ति व पुराने अभ्यासी को धीरे–धीरे श्वास–प्रश्वास की गति बढ़ाते हुए मध्यम और फिर तीव्र गति से भस्त्रिका प्राणायाम करना चाहिए। इस प्राणायाम को 3–5 मिनट तक करना चाहिए।

भस्त्रिका के समय शिवसंकल्प :

भस्त्रिका प्राणायाम में श्वास को अन्दर भरते हुए मन में विचार (संकल्प) करना चाहिए कि ब्रह्माण्ड में विद्यमान दिव्य शक्ति, ऊर्जा, पवित्रता, शान्ति व आनन्द आदि जो भी शुभ है; वह प्राण के साथ मेरे देह में प्रविष्ट हो रहा है। मैं दिव्य शक्तियों से ओत–प्रोत हो रहा हूँ। इस प्रकार दिव्य संकल्प के साथ किया हुआ प्राणायाम विशेष लाभप्रद होता है।

विशेष :

1. जिनको उच्च रक्तचाप व हृदय रोग हो, उन्हें तीव्र गति से भस्त्रिका नहीं करना चाहिए।
2. इस प्राणायाम को करते समय जब श्वास को अन्दर भरें तब पेट को नहीं फुलाना चाहिए। श्वास डायाफ्राम तक भरें, इससे पेट नहीं फूलेगा, पसलियों तक छाती ही फूलेगी।
3. ग्रीष्म ऋतु में अल्प मात्रा में करें।
4. कफ की अधिकता या साइनस आदि रोगों के कारण जिनके दोनों नासाछिद्र ठीक से खुले हुए नहीं होते उन लोगों को पहले दाएँ स्वर को बन्द करके बाएँ से रेचक व पूरक करना चाहिए। फिर बाएँ को बन्द करके दाएँ से यथाशक्ति मन्द, मध्यम या तीव्र गति से रेचक व पूरक करना चाहिए। फिर अन्त में दोनों स्वरों इड़ा व पिंगला से

रेचक व पूरक करते हुए भस्त्रिका प्राणायाम करें।

5. इस प्राणायाम को तीन से लेकर पांच मिनट तक प्रतिदिन अवश्य करें।

6. प्राणायाम की क्रियाओं को करते समय आँखों को बन्द रखें और मन में प्रत्येक श्वास–प्रश्वास के साथ ओ३म का मानसिक रूप से चिन्तन व मनन करना चाहिए।

लाभ :

1. सर्दी–जुकाम, एलर्जी, श्वासरोग, दमा, पुराना नजला, साइनस आदि समस्त कफ रोग दूर होते हैं। फेफड़े सबल बनते हैं तथा हृदय व मस्तिष्क को भी शुद्ध प्राण वायु मिलने से आरोग्य लाभ होता है।
2. थायराइड व टान्सिल आदि गले के समस्त रोग दूर होते हैं।
3. त्रिदोष सम होते हैं। रक्त परिशुद्ध होता है तथा शरीर के विषाक्त, विजातीय द्रव्यों का निष्कासन होता है।
4. प्राण व मन स्थिर होता है। प्राणोत्थान व कुण्डलिनी जागरण में सहायक है।

२. द्वितीय प्रक्रिया – कपालभाति प्राणायाम :

कपाल अर्थात् मस्तिष्क और भाति का अर्थ होता है – दीप्ति, आभा, तेज, प्रकाश आदि। जिस प्राणायाम के करने से मस्तिष्क याने माथे पर आभा, ओज व तेज बढ़ता हो वह प्राणायाम है – कपालभाति। इस प्राणायाम की विधि भस्त्रिका से थोड़ी अलग है। भस्त्रिका में रेचक व पूरक में समानरूप से श्वास–प्रश्वास पर दबाव डालते हैं, जबकि कपालभाति में मात्र रेचक अर्थात् श्वास को शक्ति पूर्वक बाहर छोड़ने में ही पूरा ध्यान दिया जाता है। श्वास को भरने के लिए प्रयत्न नहीं करते; अपितु सहजरूप से जितना श्वास अन्दर चला जाता है, जाने देते हैं, पूरी एकाग्रता श्वास को बाहर छोड़ने में ही होती है। ऐसा करते हुए स्वाभाविक रूप से पेट में भी आकुञ्चन व प्रसारण की क्रिया होती है तथा मूलाधार, स्वाधिष्ठान व मणिपूर चक्र पर विशेष बल पड़ता है। इस प्राणायाम को न्यूनतम 5 मिनट तक अवश्य ही करना चाहिए।

कपालभाति के समय शिवसंकल्प : कपालभाति प्राणायाम को करते समय मन में ऐसा विचार करना चाहिए कि जैसे ही मैं श्वास को बाहर छोड़ रहा हूँ, इस प्रश्वास के साथ मेरे शरीर के समस्त रोग बाहर निकल रहे हैं, नष्ट हो रहे हैं। जिसको जो शारीरिक रोग हो उस दोष या विकार, काम, क्रोध, लोभ, मोह, ईर्ष्या, राग, द्वेष आदि को बाहर छोड़ने की भावना करते हुए रेचक करना चाहिए। इस प्रकार रोग के नष्ट होने का विचार श्वास छोड़ते वक्त करने का भी विशेष लाभ होता है।

समय : तीन मिनट से प्रारम्भ करके पाँच मिनट तक इस प्राणायाम का अभ्यास करना चाहिए। प्रारम्भ में कपालभाति प्राणायाम करते हुए जब–जब थकान अनुभव हो तब–तब बीच–बीच में विश्राम कर लेवें। एक से दो माह के अभ्यास के बाद इस प्राणायाम को पाँच मिनट तक बिना रुके किया जा सकता है। यह इसका पूर्ण समय है। प्रारम्भ में पेट या कमर में दर्द हो सकता है। वह धीरे–धीरे अपने आप मिट जायेगा। ग्रीष्म ऋतु में पित्त प्रकृति वाले करीब 2 मिनट यह अभ्यास करें।

लाभ :

1. मस्तिष्क व मुखमण्डल पर ओज, तेज, आभा व सौन्दर्य बढ़ता है।
2. समस्त कफ रोग, दमा, श्वास, एलर्जी, साइनस आदि रोग नष्ट हो जााते हैं।
3. हृदय, फेफड़ों एवं मस्तिष्क के समस्त रोग दूर होते हैं।
4. मोटापा, मधुमेह, गैस, कब्ज, अम्लपित्त, किडनी व प्रोस्ट्रेट से सम्बन्धित सभी रोग निश्चित रूप से दूर होते हैं।
5. कब्ज जैसा खतरनाक रोग इस प्राणायाम के नियमित रूप से लगभग 5 मिनट तक प्रतिदिन करने से मिट जाता है। मधुमेह बिना औषधि के नियमित किया जा सकता है तथा पेट आदि का बढ़ा हुआ भार एक माह में 4 से 8 किलो तक कम किया जा सकता है। हृदय की शिराओं में आए हुए अवरोध (ब्लोकेज) खुल जाते हैं।

6. मन स्थिर, शान्त व प्रसन्न रहता है। नकारात्मक विचार नष्ट हो जाते हैं। जिससे डिप्रेशन आदि रोगों से छुटकारा मिलता है।

7. चक्रों का शोधन तथा मूलाधार चक्र से लेकर सहस्त्रार चक्र पर्यन्त समस्त चक्रों में एक दिव्य शक्ति का संचरण होने लगता है।

8. इस प्राणायाम के करने से आमाशय, अग्न्याशय (पेन्क्रियाज), यकृत, प्लीहा, आन्त्र, प्रोस्ट्रेट एवं किडनी का आरोग्य विशेष रूप के बढ़ता है। पेट के लिए बहुत से आसन करने पर भी जो लाभ नहीं हो पाता, मात्र इस प्राणायाम के करने से ही सब आसनों से भी अधिक लाभ हो जाता है। दुर्बल आँतों को सबल बनाने के लिए भी यह प्राणायाम सर्वोत्तम है।

३. तृतीय प्रक्रिया – बाह्य प्राणायाम (त्रिबन्ध के साथ)

1. सिद्धासन या पद्मासन में विधिपूर्वक बैठकर श्वास को एक ही बार में यथाशक्ति बाहर निकाल दीजिए।

2. श्वास बाहर निकालकर मूलबंध, उड्डीयान बंध व जालन्धर बन्ध लगाकर श्वास को यथाशक्ति बाहर ही रोककर रखें।

3. जब श्वास लेने की इच्छा हो तब बन्धों को हटाते हुए धीरे–धीरे श्वास लीजिए।

4. श्वास भीतर लेकर उसे बिना रोके ही पुनः पूर्ववत् श्वसन क्रिया द्वारा बाहर निकाल दीजिए। इस प्रकार इसे 3 से लेकर 21 बार तक कर सकते हैं।

बाह्य प्राणायाम के समय शिवसंकल्प : इस प्राणायाम में भी उक्त कपालभाति के समान श्वास को बाहर फेंकते हुए समस्त विकारों, दोषों को भी बाहर फेंका जा रहा है इस प्रकार की मानसिक चिन्तन धारा बहनी चाहिए। विचार–शक्ति जितनी अधिक प्रबल होगी समस्त कष्ट उतनी ही प्रबलता से दूर होंगे, यह निश्चित जानिए। मन का शिवसंकल्प युक्त होना हर प्रकार की आधि–व्याधि का संहारक और शीघ्र सुफलदायक होता है।

लाभ:

यह हानिरहित प्राणायाम है। इससे मन की चञ्चलता दूर होती है। जठराग्नि प्रदीप्त होती है। उदर रोगों में लाभप्रद है। बुद्धि सूक्ष्म व तीव्र होती है। शरीर का शोधक है। वीर्य की ऊर्ध्व गति करके स्वप्न–दोष, शीघ्रपतन आदि धातु–विकारों की निवृत्ति करता है। बाह्य प्राणायाम करने से पेट के सभी अवयवों पर विशेष बल पड़ता है तथा प्रारम्भ में पेट के कमजोर या रोगग्रस्त भाग में हल्का दर्द का भी अनुभव होता है। अतः पेट को विश्राम तथा आरोग्य देने के लिए त्रिबन्ध पूर्वक यह प्राणायाम करना चाहिए।

४. चतुर्थ प्रक्रिया – अनुलोम–विलोम प्राणायाम

नासिकाओं को बन्द करने की विधि:

दाएँ हाथ को उठाकर दाएँ हाथ के अंगुष्ठ के द्वारा दायाँ स्वर (पिंगला नाड़ी) तथा अनामिका व मध्यमा अंगुलियों के द्वारा बायाँ स्वर बन्द करना चाहिए। हाथ की हथेली को नासिका के सामने न रखकर थोड़ा ऊपर रखना चाहिए। देखें संलग्न चित्र 2 व 3

विधि:

इड़ा नाड़ी (वाम स्वर) क्योंकि सोम, चन्द्रशक्ति या शान्ति का प्रतीक है, इसलिए नाड़ी शोधन हेतु अनुलोम–विलोम प्राणायाम को बाईं नासिका से प्रारम्भ करते हैं। अंगुष्ठ के माध्यम से दाहिनी नासिका को बन्द करके बाईं नाक से श्वास धीरे–धीरे अन्दर भरना चाहिए। श्वास पूरा अन्दर भरने पर, अनामिका व मध्यमा से वाम स्वर को बन्द करके दाहिने नाक से पूरा श्वास बाहर छोड़ देना चाहिए। धीरे–धीरे श्वास–प्रश्वास की गति मध्यम और फिर तीव्र करनी चाहिए। तीव्र गति से पूरी शक्ति के साथ श्वास अन्दर भरें व बाहर निकालें व अपनी शक्ति के अनुसार श्वास–प्रश्वास के साथ गति मन्द, मध्यम और तीव्र करें। तीव्र गति से पूरक, रेचक करने से प्राण की तेज ध्वनि होती है। श्वास पूरा बाहर निकलने पर वाम स्वर को बन्द रखते हुए ही दाएँ नाक से श्वास पूरा अन्दर भरना चाहिए तथा अन्दर पूरा भर जाने पर दाएँ नाक को बन्द

करके बाईं नासिका से श्वास बाहर छोड़ना चाहिए। यह एक प्रक्रिया पूरी हुई। इस प्रकार इस विधि को सतत् करते रहना अर्थात् बाईं नासिका से श्वास लेकर दाएं से बाहर छोड़ देना, फिर दाएं से लेकर बाईं ओर से श्वास को बाहर छोड़ देना। इस क्रम को लगभग एक मिनट तक करने पर थकान होने लगती है। थकान होने पर बीच में थोड़ा विश्राम करके, थकान दूर होने पर पुनः प्राणायाम करें। इस प्रकार तीन मिनट से प्रारम्भ करके इस प्राणायाम को 10 मिनट तक किया जा सकता है। कुछ दिन तक नियमित अभ्यास करने से व्यक्ति का सामर्थ्य बढ़ने लगता है और एक माह में साधक बिना रुके पाँच मिनट तक इस प्राणायाम को करने लगता है। पाँच मिनट तक इसका अभ्यास प्रत्येक व्यक्ति को करना चाहिए। अधिकतम समय 10 मिनट का है। इससे अधिक इस प्राणायाम को न करें। ग्रीष्मकाल में प्राणायाम को 3 से 5 मिनट तक ही करना पर्याप्त है। पाँच मिनट तक यह प्राणायाम करने से मूलाधार चक्र में सन्निहित शक्ति का जागरण होने लगता है। इसे ही वेदों में उर्ध्वरेतस् होना और आधुनिक योग की भाषा में कुण्डलिनी जागरण कहा जाता है। इस प्राणायाम को करते समय प्रत्येक श्वास–प्रश्वास के साथ ओ३म् का मानसिक रूप से चिन्तन व मनन भी करते रहना चाहिए। ऐसा करने से मन ध्यान की उन्नत अवस्था के योग्य बन जाता है।

अनुलोम–विलोम करते समय शिवसंकल्प : इस प्राणायाम को करते समय मन में विचार करें कि इड़ा व पिंगला नाड़ियों में श्वास का घर्षण व मंथन होने से सुषुम्णा नाड़ी जागृत हो रही है। अष्ट चक्रों से लेकर सहस्रार चक्र पर्यन्त एक दिव्य ज्योति का ऊर्ध्वस्फुरण हो रहा है।

मेरा पूरा देह दिव्य आलोक से देदीप्यमान हो रहा है। चित्र संख्या 16 के अनुसार शरीर के बाहर व भीतर दिव्य आलोक, ज्योति व शक्ति का ध्यान करते हुए 'ओं खं ब्रह्म' का साक्षात्कार करें। यह विचार करें कि विश्वनियन्ता परमेश्वर की दिव्य–शक्ति, दिव्यज्ञान की वृष्टि चारों ओर से हो रही है। वह सर्वशक्तिमान परमात्मा अपनी दिव्यशक्ति से मुझे ओतप्रोत कर रहा है। ''शक्तिपात''

की दीक्षा से स्वयं को दीक्षित करें। शक्ति के लिए गुरु मात्र प्रेरक है, गुरु तो मात्र दिव्य संवेदनाओं से जोड़ता है। वास्तव में 'शक्तिपात' शक्ति के असीम सिन्धु ओङ्कार परमेश्वर करते हैं। इस प्रकार दिव्य संवेदनाओं से ओतप्रोत होकर किए हुए इस अनुलोम–विलोम प्राणायाम से विशेष शारीरिक, मानसिक व आध्यात्मिक लाभ मिलेगा। मूलाधार चक्र से स्वतः एक ज्योति स्फुरित होगी, कुण्डलिनी जागरण होगा, आप ऊर्ध्वरेता बनेंगे और 'शक्तिपात' की दीक्षा में स्वतः दीक्षित हो जायेंगे।

लाभ :

1. इस प्राणायाम से बहत्तर करोड़, बहत्तर लाख, दस हजार दो सौ दस नाड़ियाँ परिशुद्ध हो जाती हैं। सम्पूर्ण नाड़ियों की शुद्धि होने से देह पूर्ण स्वस्थ, कान्तिमय एवं बलिष्ठ बनता है।
2. सन्धिवात, आमवात, गठिया, कम्पवात, स्नायु–दुर्बलता आदि समस्त वात रोग, मूत्ररोग, धातुरोग, शुक्रक्षय, अम्लपित्त, शीतपित्त आदि समस्त पित्त रोग, सर्दी, जुकाम, पुराना नजला, साइनस, अस्थमा, खाँसी, टान्सिल आदि समस्त कफ रोग दूर होते हैं। त्रिदोष प्रशमन होता है।
3. हृदय की शिराओं में आए हुए अवरोध (ब्लोकेज) खुल जाते हैं। इस प्राणायाम का नियमित अभ्यास करने से लगभग तीन–चार माह में तीस प्रतिशत से लेकर चालीस प्रतिशत तक ब्लोकेज खुल जाते हैं। ऐसा हमने अनेक रोगियों पर प्रयोग करके अनुभव किया है। कॉलेस्ट्रोल, ट्राईग्लिस्राइड्स, एच.डी.एल. या एल.डी.एल. आदि की अनियमितताएँ दूर हो जाती हैं।

   नकारात्मक चिन्तन में परिवर्तन होकर सकारात्मक विचार बढ़ने लगते हैं। आनन्द, उत्साह व निर्भयता की प्राप्ति होने लगती है। संक्षेप में कह सकते हैं कि इस प्राणायाम से तन, मन, विचार व संस्कार सब परिशुद्ध होते हैं। देह के समस्त रोग नष्ट होते हैं तथा

मन परिशुद्ध होकर ओम्कार के ध्यान में लीन होने लगता है। इस प्राणायाम को 250 से 500 बार तक करने से मूलाधार चक्र में सन्निहित कुण्डलिनी शक्ति जो अधोमुख होती है, वह उर्ध्वमुख हो जाती है अर्थात् कुण्डलिनी जागरण की प्रक्रिया प्रारम्भ हो जाती है।

नोट: अधिक जानकारी व सावधानियों के सम्बन्ध में जानने के लिए कुण्डलिनी जागरण के उपाय व सावधानियाँ प्रकरण को देखें।

५. पञ्चम प्रक्रिया – भ्रामरी प्राणायाम:

श्वास पूरा अन्दर भरकर मध्यमा अंगुलियों से नासिका के मूल में आँख के पास से दोनों ओर से थोड़ा दबाएँ, मन को आज्ञाचक्र में केन्द्रित रखें। अंगूठों के द्वारा दोनों कानों को पूरा बन्द कर लें (देखें संलग्न चित्र नं० 4)। अब भ्रमर की भाँति गूंजन करते हुए नाद रूप में ओ३म् का उच्चारण करते हुए श्वास को बाहर छोड़ दें। पुनः इसी प्रकार आवृत्ति करें। इस तरह यह प्राणायाम कम से कम तीन बार अवश्य करें। अधिक 11 से 21 बार तक भी किया जा सकता है।

भ्रामरी प्राणायाम के समय शिवसंकल्प: यह प्राणायाम अपनी चेतना को ब्राह्मी चेतना, ईश्वरीय सत्ता के साथ तन्मय व तद्रूप करते हुए करना चाहिए। मन में यह दिव्य संकल्प या विचार होना चाहिए कि मुझ पर भगवान् की करुणा, शान्ति व आनन्द बरस रहा है। मेरे आज्ञा चक्र में भगवान् दिव्य ज्योति के रूप में प्रकट होकर मेरे समस्त अज्ञान को दूर कर मुझे ऋतम्भरा प्रज्ञा सम्पन्न बना रहे हैं। इस प्रकार शुद्ध भाव से यह प्राणायाम करने से एक दिव्य ज्योतिपुञ्ज आज्ञा चक्र में प्रकट होता है और ध्यान स्वतः होने लगता है।

लाभ: मन की चञ्चलता दूर होती है। मानसिक तनाव, उत्तेजना, उच्च रक्तचाप, हृदयरोग आदि में लाभप्रद है। ध्यान के लिए अति उपयोगी है।

६. षष्ठ प्रक्रिया – ओङ्कार जप

पूर्वनिर्दिष्ट सभी प्राणायाम करने के बाद श्वास–प्रश्वास पर अपने मन को टिकाकर प्राण के साथ उद्‌गीथ 'ओ३म्' का ध्यान करें। भगवान् ने भ्रुवों की आकृति ओङ्कारमयी बनाई है। यह पिण्ड (= देह) तथा समस्त ब्रह्माण्ड ओङ्कारमय है। 'ओङ्कार' कोई व्यक्ति या आकृति विशेष नहीं है, अपितु एक दिव्य शक्ति है, जो इस सम्पूर्ण ब्रह्माण्ड का संचालन कर रही है। द्रष्टा बनकर दीर्घ व सूक्ष्म गति से श्वास को लेते व छोड़ते समय श्वास की गति इतनी सूक्ष्म होनी चाहिए कि स्वयं को भी श्वास की ध्वनि की अनुभूति न हो तथा यदि नासिका के आगे रूई भी रख दें तो वह हिले नहीं। धीरे–धीरे अभ्यास बढ़ाकर प्रयास करें कि एक मिनट में एक श्वास तथा एक प्रश्वास चले। इस प्रकार श्वास को भीतर तक देखने का भी प्रयत्न कीजिये। प्रारम्भ में श्वास के स्पर्श की अनुभूति मात्र नासिकाग्र पर होगी। धीरे–धीरे श्वास के गहरे स्पर्श को भी अनुभव कर सकेंगे। इस प्रकार कुछ समय तक श्वास के साथ द्रष्टा अर्थात् साक्षीभावपूर्वक ओङ्कार जप करने से ध्यान स्वतः होने लगता है। आपका मन अत्यन्त एकाग्र व ओङ्कार में तन्मय व तद्‌रूप हो जायेगा। प्रणव के साथ–साथ वेदों के महान् मन्त्र गायत्री का भी अर्थपूर्वक जप व ध्यान किया जा सकता है। इस प्रकार साधक ध्यान करते–करते सच्चिदानन्द स्वरूप ब्रह्म के स्वरूप में तद्‌रूप होता हुआ समाधि के अनुपम दिव्य आनन्द को भी प्राप्त कर सकता है। सोते समय भी इस प्रकार ध्यान करते हुए सोना चाहिए, ऐसा करने से निद्रा भी योगमयी हो जाती है, दुःस्वप्न से भी छुटकारा मिलेगा तथा निद्रा शीघ्र आयेगी व प्रगाढ़ रहेगी।

७. सप्तम् प्रक्रिया – नाड़ी शोधन प्राणायाम

प्रारम्भ में नाड़ी शोधन प्राणायाम के लिए अनुलोम–विलोम की भाँति दाईं नासिका को बन्द करके बाईं नासिका से श्वास को अति शनैःशनैः अन्दर भरना चाहिए। पूरा श्वास अन्दर भरने पर प्राण को यथाशक्ति अन्दर ही रोककर मूलबन्ध व जालन्धर बन्ध लगाना चाहिए। फिर जालन्धर बन्ध हटाकर श्वास

को अत्यन्त धीमी गति से दाईं नासिका से बाहर छोड़ना चहिए। पूरा श्वास बाहर होने पर दाएँ स्वर से श्वास को धीरे-धीरे अन्दर भरकर अन्तःकुम्भक करें, यथाशक्ति अन्दर ही प्राण को रोक कर फिर बाएं स्वर से श्वास को धीरे-धीरे बाहर निकाल दें। यह एक चक्र या नाड़ी शोधन प्राणायाम का एक अभ्यास पूर्ण हुआ। इस प्रक्रिया को नासिकाओं पर बिना हाथ लगाये मानसिक एकाग्रता से किया जाए तो अधिक लाभप्रद है, क्योंकि इससे मन की भी पूरी एकाग्रता प्राण पर केन्द्रित रहती है तथा मन अत्यन्त स्थिरता को प्राप्त करता है। श्वास को लेते तथा छोड़ते समय प्राण की कोई ध्वनि नहीं होनी चाहिए। इस प्राणायाम को एक से लेकर कम से कम तीन बार तक अवश्य ही करना चाहिए। अधिक जितनी इच्छा को कर सकते हैं। नाड़ी शोधन प्राणायाम में पूरक, अन्तः कुम्भक व रेचक का परिमाण प्रारम्भ में यथाशक्ति 1:2:2 का रखना चाहिए अर्थात् जैसे कि 10 सेकण्ड में पूरक करें तो 20 सेकण्ड तक अन्तःकुम्भक करना चाहिए तथा 20 सेकण्ड में ही धीरे-धीरे रेचक करना चाहिए। बाद में इसका अनुपात 1:4:2 तक रखें। इतना होने पर इसके साथ बाह्यकुम्भक भी जोड़ सकते हैं अर्थात् 1:4:2:2 के अनुपात में क्रमशः पूरक, अन्तःकुम्भक, रेचक व बाह्यकुम्भक करना चाहिए।

इस प्राणायाम को अत्यधिक धीमी गति से करना चाहिए। संख्या के चक्कर में पड़कर यथाशक्ति सहजता से इस प्राणायाम को करते हुए प्राण की गति जितनी दीर्घ व सूक्ष्म होगी उतना ही अधिक लाभ होगा, यथाशक्ति श्वास को लेना, छोड़ना व रोककर रखना ही इस प्राणायाम का वास्तविक परिमाण है। ऐसा करते हुए बीच में विश्राम की आवश्यकता ही नहीं पड़ती। पूरक, कुम्भक व रेचक करते हुए ओ३म् या गायत्री का मानसिक रूप से जप, चिन्तन व मनन भी करते रहना चाहिए।

लाभ : सभी लाभ अनुलोम-विलोम प्राणायाम के ही समान हैं।

रोगोपचार की दृष्टि से उपयोगी अन्य प्राणायाम

१. सूर्यभेदी या सूर्यांग प्राणायाम :

ध्यानासन में बैठकर दाईं नासिका से पूरक करके तत्पश्चात् कुम्भक जालन्धर व मूलबन्ध के साथ करें और अन्त में बाईं नासिका से रेचक करें। अन्तः कुम्भक का समय धीरे–धीरे बढ़ाते जाना चाहिए। इस प्राणायाम की आवृत्ति 3, 5 या 7 ऐसे बढ़ाकर कुछ दिनों के अभ्यास से 10 तक बढ़ाइये। कुम्भक के समय सूर्यमण्डल का तेज के साथ ध्यान करना चाहिए। ग्रीष्म ऋतु में इस प्राणायाम को अल्प मात्रा में करना चाहिए।

लाभ :

शरीर में उष्णता तथा पित्त की वृद्धि होती है। वात व कफ से उत्पन्न होने वाले रोग, रक्त व त्वचा के दोष, उदर–कृमि, कोढ़, सुजाक, छूत के रोग, अजीर्ण, अपच, स्त्री–रोग आदि में लाभदायक है। कुण्डलिनी जागरण में सहायक है। बुढ़ापा दूर रहता है। अनुलोम–विलोम के बाद थोड़ी मात्रा में इस प्राणायाम को करना चाहिए। बिना कुम्भक के सूर्य भेदी प्राणायाम करने से हृदयगति और शरीर की कार्यशीलता बढ़ती है तथा वजन कम होता है। इसके लिए इसके 27 चक्र दिन में 2 बार करना जरूरी है।

२. चन्द्रभेदी या चन्द्रांग प्राणायाम :

इस प्राणायाम में बाईं नासिका से पूरक करके, अन्तःकुम्भक करें। इसे जालन्धर व मूल बन्ध के साथ करना उत्तम है। तत्पश्चात् दाईं नाक से रेचक करें। इसमें हमेशा चन्द्रस्वर से पूरक व सूर्यस्वर से रेचक करते हैं। सूर्यभेदी इससे ठीक विपरीत है। कुम्भक के समय पूर्ण चन्द्रमण्डल के प्रकाश के साथ ध्यान करें। शीतकाल में इसका अभ्यास कम करना चाहिए।

लाभ :

शरीर में शीतलता आकर थकावट व उष्णता दूर होती है। मन की उत्तेजनाओं को शान्त करता है। पित्त के कारण होनेवाली जलन में लाभदायक है।

३. उज्जायी प्राणायाम :

इस प्राणायाम में पूरक करते हुये गले को सिकोड़ते हैं और जब गले को सिकोड़कर श्वास अन्दर भरते हैं तब जैसे खर्राटे लेते समय गले से आवाज होती है, वैसे ही इसमें पूरक करते हुए कण्ठ से ध्वनि होती है। ध्यानात्मक आसन में बैठकर दोनों नासिकाओं से हवा अन्दर खींचिए। कण्ठ को थोड़ा संकुचित करने से हवा का स्पर्श गले में अनुभव होगा। हवा का घर्षण नाक में नहीं होना चाहिए। कण्ठ में घर्षण होने से एक ध्वनि उत्पन्न होगी। प्रारम्भ में कुम्भक का प्रयोग न करके केवल पूरक–रेचक का ही अभ्यास करना चाहिए। पूरक के बाद धीरे–धीरे कुम्भक का समय पूरक जितना तथा कुछ दिनों के अभ्यास के बाद कुम्भक का समय पूरक से दुगुना कर दीजिए। कुम्भक 10 सेकण्ड से ज्यादा करना हो तो जालन्धर बन्ध व मूलबन्ध भी लगाइए। इस प्राणायाम में सदैव दाईं नासिका को बन्द करके बाईं नासिका से ही रेचक करना चाहिए।

लाभ :

जो साल भर सर्दी, खाँसी, जुकाम से पीड़ित रहते हैं, जिनको टॉन्सिल, थाइरॉइड ग्लैंड, अनिद्रा, मानसिक तनाव व रक्तचाप, अजीर्ण, आमवात, जलोदर, क्षय, ज्वर, प्लीहा आदि रोग हों, उनके लिये यह लाभप्रद है। गले को ठीक निरोगी व मधुर बनाने हेतु इसका नियमित अभ्यास करना चाहिए। कुण्डलिनी जागरण, अजपा–जप ध्यान आदि के लिए उत्तम प्राणायाम है। बच्चों का तुतलाना भी ठीक होता है।

४. कर्ण रोगान्तक प्रामायाम:

इस प्राणायाम में दोनों नासिकाओं से पूरक करके फिर मुँह व दोनों नासिकाएँ बन्द कर पूरक की हुई हवा को बाहर धक्का देते हैं, जैसे कि श्वास को कानों से बाहर निकालने का प्रयास किया जाता है। 4–5 बार श्वास को ऊपर की और धक्का देकर फिर दोनों नासिकाओं से रेचक करें। इस प्रकार 2–3 बार करना पर्याप्त होगा।

लाभ: कर्ण रोगों में तथा बहरापन में लाभदायक है।

५. शीतली प्राणायाम:

ध्यानात्मक आसन में बैठकर हाथ घुटनों पर रखें। जिह्वा को नालीनुमा मोड़कर मुँह खुला रखते हुे मुँह से पूरक करें। जिह्वा से धीरे–धीरे श्वास लेकर फेफड़ों को पूरा भरें। कुछ क्षण रोककर मुँह को बन्द करके दोनों नासिकाओं से रेचक करें। तत्पश्चात् पुनः जिह्वा मोड़कर मुँह से पूरक व नाक से रेचक करें। इस तरह 8 से 10 बार करें। शीतकाल में इसका अभ्यास कम करें।

विशेष: कुम्भक के साथ जालन्धर बन्ध भी लगा सकते हैं। कफ प्रकृतिवालों एवं टॉन्सिल के रोगियों को शीतली व सीत्कारी प्राणायाम नहीं करना चाहिए।

लाभ:

1. जिह्वा, मुँह व गले के रोगों में लाभप्रद है। गुल्म, प्लीहा, ज्वर,अजीर्ण आदि ठीक होते हैं।
2. इसकी सिद्धि से भूख–प्यास पर विजय प्राप्त होती है। ऐसा योग ग्रन्थों में कहा गया है।
3. उच्च रक्तचाप को कम करता है। पित्त के रोगों में लाभप्रद है। रक्तशोधन भी करता है।

६. सीत्कारी प्राणायाम:

ध्यानात्मक आसन में बैठकर जिह्वा को ऊपर तालु में लगाकर ऊपर–नीचे की दन्त पंक्ति को एकदम सटाकर ओठों को खोलकर रखें। अब धीरे–धीरे 'सी–सी', की आवाज करते हुए मुँह से श्वास लें और फेफड़ों को पूरी तरह भर लें। जालन्धर–बन्ध लगाकर जितनी देर आराम से रुक सकें, रुकें। फिर मुँह बन्द कर नाक से धीरे–धीरे रेचक करें। पुनः इसी तरह दुहरावें। 8–10 बार का अभ्यास पर्याप्त है। शीतकाल में इस आसन का अभ्यास कम करना चाहिए।

विशेष:

1. बिना कुम्भक व जालन्धर बन्ध के भी अभ्यास कर सकते हैं।
2. पूरक के समय दाँत एवं जिह्वा अपने स्थान पर स्थिर रहनी चाहिए।

लाभ:

1. गुण–धर्म व लाभ शीतली प्राणायाम की तरह हैं।
2. दन्त रोग पायरिया आदि, गले, मुँह, नाक जिह्वा के रोग दूर होते हैं।
3. निद्रा कम होती है और शरीर शीतल रहता है।
4. उच्च रक्तचाप में 50 से 60 तक आवृत्ति करने से लाभ होता है।

७. मूर्च्छा प्राणायाम:

इस प्राणायाम में दोनों नासिकाओं से पूरक, आँखें बन्द करके करते हुए सिर को ऊपर उठाकर पीछे ले जाते हैं, ताकि दृष्टि आकाश की ओर रहे। फिर अन्तःकुम्भक लगाते हैं। बाद में आँखे खोलकर आकाश की ओर देखते हैं। अन्तःकुम्भक के बाद आँख बन्दकर सिर को पहले की अवस्था में लाकर धीरे–धीरे रेचक करते हैं। पुनः विश्राम लिए बिना पूरक, आकाश दृष्टि, कुम्भक सब एक साथ करते हैं और पूर्व अवस्था में आ जाते हैं। प्रतिदिन 5 बार करना पर्याप्त है।

लाभ :

सिर दर्द, अर्द्धकपारी, वात कम्प, स्नायु दुर्बलता आदि में लाभदायक है। नेत्र ज्योति बढ़ाने तथा स्मरण शक्ति तीव्र करने में उपयोगी है। कुण्डलिनी जागृत करने तथा मन को अन्तर्मुखी कर ध्यान में सहयोग करता है।

८. प्लाविनी प्राणायाम :

यह एक प्रकार से वायु धौति है। जैसे मुँह से जल पिया जाता है, वैसे ही वायु को, जब तक पेट पूरा वायु से न भर पाये, लगातार पीते हैं। फिर इस प्रकार डकार लेते हैं कि पी हुई सारी वायु तत्काल पेट से बाहर आ जावे। वायु पीकर दूषित वायु को मुँह से बाहर निकाला जाता है।

लाभ :

उदर के समस्त रोग व हिस्टीरिया दूर करने में सहायक है। कृमि का नाश होता है तथा जठराग्नि तेज होती है। दूषित वायु दूर होती है।

९. केवली प्राणायाम :

इसमें केवल पूरक–रेचक करते हैं। कुम्भक नहीं किया जाता। पूरक के साथ 'ओ' शब्द का तथा रेचक के साथ 'म्' शब्द का मानसिक उच्चारण करते हैं। इस तरह श्वसन–प्रश्वसन के साथ 'ओ३म्' का उद्गीथ के रूप में मानसिक अजपा–जप निरन्तर होता रहता है।

लाभ :

एकाग्रता शीघ्र प्राप्त होती है तथा अजपा–जप सिद्ध होता है।

शरीर में सन्निहित शक्ति–केन्द्र या चक्र

चक्र हमारे शरीर में सन्निहित विविध प्रकार की उद्भूत शक्तियों के केन्द्र हैं। ये समस्त चक्र मेरुदण्ड के मूल से प्रारम्भ होकर उसके ऊपरी भाग तक जुड़े हैं। साधारण अवस्था में ये चक्र बिना खिले कमल के सदृश अधोमुख हुए अविकसित रहते हैं। ब्रह्मचर्यपालन, प्राणायाम एवं ध्यान आदि यौगिक विधिओं द्वारा उत्तेजना पाकर जब ये ऊर्ध्वमुख होकर विकसित होते हैं, तब उनकी अलौकिक शक्तियों का विकास होता है। चित्रों द्वारा दिखलायी जानेवाली चक्रों की स्थूल आकृतियाँ उनके सूक्ष्म स्वरूप का बोध कराने के लिए केवल प्रतीकात्मक हैं। इसी प्रकार Pelvic Plexus आदि अंग्रेजी नाम भी उनके वास्तविक स्थानों को नहीं बतलाते, अपितु संकेत मात्र हैं।

चक्रों का संक्षिप्त वर्णन :

चक्रों के सम्बन्ध में भगवान् अथर्ववेद में कहते हैं :

अष्टचक्रा नव द्वारा देवानां पूरयोध्या।
तस्यां हिरण्यय: कोश: स्वर्गो ज्योतिषावृत:॥

(अथर्ववेद)

देवों की नगरी इस अयोध्या रूपी देह में अष्ट चक्र और नौ द्वार (दो आँखें, दो नासिका, दो कान, मुख, पायु और उपस्थ) हैं। इसी नगरी में एक देदीप्यमान् हिरण्य कोष है, जो अनन्त, अपरिमित, असीम सुख–शन्ति, आनन्द व दिव्य ज्योति से परिपूर्ण है। योगाभ्यासी उपासक साधक ही इस दिव्य कोष (खजाने) को प्राप्त कर सकता है। अब हम संक्षेप से चक्रों के सम्बन्ध में वर्णन करते हैं।

१. **मूलाधार चक्र (Pelvic Plexus):** यह चक्र गुदामूल से दो अंगुल ऊपर और उपस्थमूल से दो अंगुल नीचे है। इसके मध्य से सुषुम्णा (सरस्वती) नाड़ी और वाम कोण से इड़ा (गंगा) नाड़ी निकलती है। इसीलिए इसे मुक्त त्रिवणी भी कहते हैं। मूलशक्ति अर्थात् कुण्डलिनी शक्ति का आधार होने से इसे मूलाधार चक्र कहते हैं। इस चक्र पर ध्यान करने से आरोग्यता, दक्षता

व कर्म–कौशल आदि गुणों का विकास होता है। इस चक्र के जाग्रत होने से पुरुष ऊर्ध्वरेता, ओजस्वी व तेजस्वी बनता है तथा शरीर की समस्त व्याधियाँ नष्ट हो जाती हैं।

संलग्न चित्र नं० 5 प्रदर्शित कर रहा है कि इस प्रथम चक्र मूलाधार को सविता 'बुद्धि के तेज' से प्रेरित 'मानस–रश्मियाँ' प्रकाशित कर रही हैं। इस स्थान में फव्वारे या टार्च की मन्द ज्योति के समान निकलने वाला प्रकाश, उस तन्तु में से निकल रहा है, जो स्वाधिष्ठान चक्र के सामने से लेकर मूलाधार तक चला जाता है। यहाँ पर निविड़ अन्धकार जड़ जमाए रहता है। प्राण–साधना व धारणा–ध्यान द्वारा इस अन्धकार को हटा कर 'मूलाधार' को प्रकाशित किया जाता है। यही प्रकाश मूलाधारगत समग्र स्थूलता तथा सूक्ष्मता का दर्शन कराता है। इसी को 'कुण्डलिनी जागरण' भी कहा जाता है। चित्र में संख्या (1) सुषुम्णा शिखर, (2) उदर का निम्न भाग इसी चक्र से सम्बन्धित, (3) गुलाबी रंग की छोटी आँतें, (4) पीले रंग की बड़ी आँतें, (5) बड़ी आँतों के निचले भाग में 'गुदा मण्डल' (मलाशय व गुदाद्वार), (6) पुच्छास्थि (मेरुदण्ड का निचला भाग), (7) सुषुम्णा का निम्नद्वार, (8) सुषुम्णा का निचला भाग सौषुम्ण–मुख्य तन्तु, (9) समस्त मूलाधार मण्डल प्रकाशित होता दिखाी दे रहा है।

२. स्वाधिष्ठान चक्र (Hypogastric Plexus) :

मूलाधार चक्र के दो अंगुल ऊपर पेडू के पास इस चक्र का स्थान है। तन्त्र ग्रन्थों में इस चक्र में ध्यान का फल सृजन, पालन और निधन में समर्थता और जिह्वा पर सरस्वती होना बताया है।

संलग्न चित्र नं० 6 से स्पष्ट है कि स्वाधिष्ठान चक्र पेडू में है। इस चक्र पेडू में है। सि चक्र में मूत्र–संस्थान है, जिसमें (1) दायें–बायें गुर्दे, (2) मूत्राशय, (3) मूत्रेन्द्रिय का पिछला भाग, (4) गुर्दों से निकली 'मूत्रवहा' नलिकाएँ है, जो मूत्राशय (2) में जा मिलती हैं। इसी चक्र में दूसरा 'शुक्र संस्थान' भी सम्मिलित है जिसमें हरे–पत्र (5) 'शुक्रकोश' है, 'शुक्रवाहिनीनलिकाएँ' दायें–बायें हैं, शुक्र बनाने वाले यन्त्र (6) अण्डकोश, (7) प्रोस्टेट ग्रन्थियाँ हैं, जिनमें से होकर शुक्रवहा तथा मूत्रवाहिनी नलिकाएँ जाती हैं, शुक्र तथा मूत्र निकासी

पथ (8) शिश्न है। इस चक्र के साक्षात्कार से 'मूत्रसंस्थान' एवं 'शुक्रसंस्थान' का ज्ञान तथा इनके पारस्परिक सम्बन्ध का ज्ञान भी हो जाता है।

३. मणिपूर चक्र (Epigastric Plexus or Solar Plexus):

इसका स्थान नाभिमूल है। यकृत व आन्त्र इत्यादि सम्पूर्ण पाचन तन्त्र व अग्न्याशय आदि को यही चक्र शक्ति प्रदान करता है। योगदर्शन में **'नाभिचक्रे कायव्यूहज्ञानम्'** (3.29) सूत्र द्वारा नाभिचक्र में ध्यान करने पर शरीरव्यूहज्ञान अर्थात् शरीर के अवयवों के सन्निवेश का ज्ञान होना फल बतलाया है। इस चक्र के जाग्रत होने पर मधुमेह, कब्ज, अपच, गैस आदि सभी पाचन की विकृतियाँ भी दूर हो जाती हैं।

संलग्न चित्र नं० 7 मणिपूरचक्र की स्थिति का प्रकाशक है। यह नाभि के पीछे है। इस चक्र में (1) आमाशय, (2) यकृत, (3) प्लीहा, (4) पैंक्रियास, (5) पक्वाशय सम्मिलित हैं।

४. अनाहत चक्र (Cardiac Plexus):

यह चक्र हृदय के पास विद्यमान है। तन्त्र ग्रन्थों में वाक्पतित्व, कवित्व शक्ति का लाभ व जितेन्द्रियता आदि इसके लाभ बताते हैं। शिवसार तन्त्र में कहा है कि इसी स्थान में उत्पन्न होने वाली अनाहत ध्वनि (नाद) ही सदाशिव (कल्याण) कारक उद्‌गीथ रूप ओङ्कार है। स्त्रियों एवं श्रद्धा प्रधान चित्तवाले साधकों के लिए यह चक्र धारणा व ध्यान के लिए उपयुक्त स्थान है। इस चक्र पर ध्यान करनेवाले को कभी भी हृदय रोग नहीं हो सकता है।

संलग्न चित्र नं० 8 अनाहत चक्र का बड़ा रूप है। इसमें हृदय पुण्डरीक के मध्यवर्ती मण्डलों को स्पष्ट किया गया है।

५. हृदय चक्र या निम्न मनश्चक्र (Lower mind Plexus):

यह चक्र दोनों स्तनों के मध्य विद्यमान है। इस चक्र पर ध्यान करने से दिव्य प्रेम, करुणा, सेवा व सहानुभूति आदि दिव्य गुणों का विकास होता है। महर्षि व्यास भी हृदय चक्र में ध्यान के लिए कहते हैं। यह हृदय शरीर का

स्थूल भाग नहीं, अपितु भावनात्मक हैं, जिसका सम्बन्ध व्यक्ति के चित्त या मानस से है। संलग्न चित्र 9 देखें।

६. विशुद्धिचक्र (Carotid Plexus):

इसका स्थान कण्ठ है। इस चक्र पर ध्यान करने व इसके जागरित होने पर व्यक्ति कवि, महाज्ञानी, शान्तचित्त, निरोग, शोकहीन और दीर्घजीवी हो जाता है। थायराइड ग्रन्थि के रोग भी इस चक्र के जाग्रत होने पर नहीं होते। संलग्न चित्र 10 में विशुद्धि चक्र का वर्णन है, जिसके 'क' भाग में प्रदर्शित संख्याओं से श्वास नलिका (1), दोनों फुफ्फुस (2) व (3) तथा फुफ्फुसों के आंतरिक भाग (4) का सम्बन्ध है।

७. आज्ञा चक्र (Madula Plexus):

यह चक्र दोनों भ्रुवों के मध्य भृकुटि के भीतर है। इसी चक्र से दो महत्त्वपूर्ण ग्रन्थियाँ पीयूष ग्रन्थि और पीनियल ग्रन्थि सम्बद्ध हैं। आज्ञा चक्र के सक्रिय या जाग्रत होने पर इन दोनों ही ग्रन्थियों की कार्य क्षमता अत्यन्त विकसित हो जाती है तथा व्यक्ति अत्यन्त कुशाग्र बुद्धि हो जाता है। कपालभाति, अनुलोम–विलोम व नाड़ी शोधन आदि प्राणायामों के द्वारा प्राण तथा मन के स्थिर हो जाने पर सम्प्रज्ञात समाधि की स्थिति प्राप्त होने लगती है। मूलाधार चक्र से इड़ा, पिङ्गला तथा सुषुम्णा पृथक्–पृथक् ऊर्ध्व प्रवाहित होकर इस स्थान पर संगम को प्राप्त करती हैं। इसलिए आज्ञा चक्र स्थान को त्रिवेणी भी कहते हैं। संलग्न चित्र 10 के 'ख' भाग में भ्रूमध्य में दो गोलियाँ सी 'आज्ञा चक्र' का स्थान है, ललाट में भरा ऊर्ध्वगामी प्रकाश 'सुषुम्णा' का है।

इडा भागीरथी गंगा पिंगला यमुना नदी।
तयोर्मध्यगता नाडी सुषुम्णाख्या सरस्वती॥
त्रिवेणी संगमो यत्र तीर्थराजः स उच्यते।
तत्र स्नानं प्रकुर्वीत सर्वपापैः प्रमुच्यते॥

(ज्ञान संकलिनी तन्त्र)

इड़ा को गङ्गा, पिंगला को यमुना तथा दोनों के मध्य जानेवाली नाड़ी सुषुम्णा को सरस्वती कहते हैं। इस त्रिवेणी का जहाँ संगम है, उसे तीर्थराज कहते हैं। इसमें स्नान करके साधक समस्त पापों से मुक्त हो जाता है। यह त्रिवेणी सङ्गम बाहर नहीं, अपितु हमारे भीतर ही है। 'बाहर की त्रिवेणी में स्नान करने से कोई व्यक्ति पापमुक्त हो जाता है' यह भ्रान्ति, मिथ्याज्ञान है, क्योंकि यदि ऐसा होने लगे तो कोई व्यक्ति, ब्राह्मण, गुरु या भाई आदि की हत्या करके भी त्रिवेणी संगम में स्नान करने से पाप मुक्त हो जाना चाहिए, परन्तु ऐसा नहीं होता। पाप का अर्थ है 'अपराध', जिससे दूसरों का अहित होता है। अतः पाप का फल तो भोगना ही पड़ेगा। पाप करके भी यदि आप प्रायश्चित रूप पुण्य कर्म करते हैं, तब भी पाप का फल दुःख रूप तथा पुण्य का फल सुख के रूप में अलग अलग भोग रूप में प्राप्त होगा। इसलिए शास्त्रों में कहा है कि "अवश्यमेव भोक्तव्यं कृतं कर्म शुभाभुभम्"। हाँ, यदि श्रद्धा पूर्वक कोई व्यक्ति गंगा या त्रिवेणी में स्नान करे और स्नान करके संकल्प करे कि मुझे जीवन में कभी भी पाप कर्म नहीं करना तो वह अपनी इसी पवित्र प्रतिज्ञा व संकल्प से भविष्य में पाप से बच सकता है। परन्तु, जो अब तक किया हुआ पाप है, उससे तो फिर भी नहीं बच सकता। यह तो हुई बाह्य त्रिवेणी की बात, परन्तु यदि कोई प्राणायाम व ध्यान द्वारा आज्ञा चक्र में सन्निहित त्रिवेणी सङ्गम में मन को टिका के भगवान् की भक्ति में, ज्ञान की गंगा में नहाता है, तो उस व्यक्ति के अन्दर से पाप कर्म करने की इच्छा ही समाप्त हो जाती है। फिर पाप करना तो बहुत दूर की बात है। इसलिए यदि पापों से वास्तव में हम मुक्ति चाहते हैं, तो प्रतिदिन आज्ञाचक्र में मन का निग्रह करके ओंकार का नाम व जाप करते हुए योगाभ्यास करना चाहिए।

८. **सहस्त्रार चक्र :** यह चक्र तालु के ऊपर मस्तिष्क में ब्रह्मरन्ध्र से ऊपर सब दिव्य शक्तियों का केन्द्र है। इस चक्र पर प्राण तथा मन के निग्रह से प्रमाण, विपर्यय, विकल्प, निद्रा व स्मृति रूप वृत्तियों के निरोध होने पर असम्प्रज्ञात समाधि की प्राप्ति हो जाती है।

विद्वान् योगाभ्यासी साधकों का मानना है कि उपनिषदों में जो अंगुष्ठमात्र

हृदय–पुरुष का वर्णन है, वह यह ब्रह्मरन्ध्र ही है, जिसके ऊपर सहस्त्रार चक्र है। क्योंकि यही अंगुष्ठ मात्र आकार वाला है। यहीं चित्त का स्थान है, जिसमें आत्मा के ज्ञान का प्रकास या प्रतिबिम्ब पड़ रहा है।

शरीर में जीवात्मा कहाँ रहता है? यह एक जटिल प्रश्न है। यदि इस प्रश्न पर सामान्यतया हम विचारें तो इस निष्कर्ष पर पहुँचते हैं कि आत्मा के ज्ञान का प्रकाश चित्त पर पड़ता है। चित्त ही कारण–शरीर है। इस कारण–शरीर के साथ सम्बद्ध होने पर ही आत्मा की संज्ञा जीवात्मा होती है। कारण–शरीर सूक्ष्म–शरीर में व्याप्त होता है और सूक्ष्म–शरीर स्थूल–शरीर में व्याप्त है। इस प्रकार जीवात्मा पूरे देह में व्यापक है। फिर भी कार्य भेद से उसके कई स्थान बतलाये जा सकते हैं।

सामान्यतया सुषुप्ति अवस्था में जीवात्मा हृदय–देश में रहता है, क्योंकि हृदय, शरीर का मुख्य केन्द्र है। यहीं से सम्पूर्ण शरीर में नाड़ियाँ जा रही हैं। शरीर का आन्तरिक कार्य यहीं से हो रहा है। हृदय गति रुकने से शरीर के सभी कार्य बन्द हो जाते हैं। इसलिये सुषुप्ति अवस्था में जीवात्मा का स्थान हृदय कहा जा सकता है। जैसा कि उपनिषद् में भी कहा है :

यत्रैष एतत् सुप्तोऽभूद् य एष विज्ञानमयः पुरुषस्तदेषां प्राणानां विज्ञानेन विज्ञानमादाय य एषोऽन्तर्हृदय आकाशस्तस्मिञ्छेते।

(बृह० २/१/१७)

जब यह पुरुष (=आत्मा), जो कि विज्ञानमय है, गहरा सोया हुआ होता है, तब वह इन इन्द्रियों के विज्ञान के द्वारा, विज्ञान को लेकर, जो यह हृदय के अन्दरआकाश है, वहाँ आराम करता है।

स्वप्नावस्था में जीव का स्थान कण्ठ बतलाया है, क्योंकि जाग्रत अवस्था में जो पदार्थ देखे, सुने या भोगे जाते हैं, उनका संस्कार बाल के हजारवें हिस्सा जितना कण्ठ में स्थित एक हितानाम की नाड़ी में रहना बतलाया जाता है। इसलिए अनुभूत पदार्थों का संस्काररूप में सूक्ष्म ज्ञान स्वप्न–अवस्था में कण्ठ में होता है। जाग्रत अवस्था में जीवात्मा, क्योंकि बाह्य इन्द्रियों के द्वारा

बाहर के विषयों को देखता है तथा बाह्य इन्द्रियों में नेत्र प्रधान है, इसलिए जाग्रत अवस्था में जीवात्मा की स्थिति नेत्र में बतलाई गई है।

य एषोऽक्षिणि पुरुषो दृष्यत एष आत्मेति।

(छान्दो, ८/७/४)

यह जो आँख में पुरुष दिखाई देता है, यह आत्मा है। सम्प्रज्ञात समाधि में जीवात्मा का स्थान आज्ञा चक्र कहा जा सकता है, क्योंकि यही दिव्य–दृष्टि का स्थान है। इसी को दिव्यनेत्र या शिवनेत्र भी कहते हैं। असम्प्रज्ञात समाधि में जीवात्मा का स्थान ब्रह्मरन्ध्र है, इसी स्थान पर प्राण तथा मन के स्थिर हो जाने पर असम्प्रज्ञात समाधि अर्थात् सर्ववृत्ति निरोध होता है। संलग्न चित्र 10 के 'ख' भाग में (1) सुषुम्णा–शीर्ष है, (2) लघु–मस्तिष्क, (3) पंचतन्मात्र–मण्डल से घिरा, मन+बुद्धि+10 इन्द्रियों का सम्पुट 'विज्ञानमय कोश' या 'सूक्ष्म–शरीर' है। (4) ब्रह्मरन्ध्र (सहस्त्रार), (5) अन्तः मस्तिष्क का भाग है, यहाँ पर लाल 3 चिन्ह 'अधिपति रन्ध्र' कहलाता है।

चक्रों के प्रतीकात्मक वैदिक नाम

वैदिक साहित्य में मानव–शरीर–गत मूलाधार आदि चक्रों के प्रतीकात्मक वैदिक नाम या संकेत मन्त्र 'भूः', 'भुवः' आदि सप्त महाव्याहृतियों के रूप में हैं। योग के आचार्य 'भूः', 'भुवः' आदि सप्त महाव्याहृतियों के रूप में हैं। योग के आचार्य 'भूः' नाम से 'मूलाधार', 'भुवः' से स्वाधिष्ठान, 'स्वः' से मणिपुर चक्र, 'महः' से 'हृदय' व 'अनाहत चक्र' 'जनः' से 'विशुद्धि चक्र', 'तपः' से 'आज्ञा चक्र' और 'सत्यम्' से 'सहस्त्रार' का ग्रहण करते हैं। ये सब चक्र जहाँ अपनी निजी शक्ति और प्रकाश रखते हैं, वहाँ ये सब प्राणमय, मनोमय और विज्ञानमय कोशों की शक्ति तथा प्रकाशों से भी आवृत्त प्रभावित हैं। अतः इन सभी चक्रों में आई मलीनता और इन पर छाया हुआ आवरण प्राणायाम साधना से दूर हो जाता है।

कुण्डलिनी शक्ति

मूलाधार चक्र में सन्निहित दिव्य शक्ति को ही अर्वाचीन तन्त्रग्रन्थों में कुण्डलिनी शक्ति और वैदिक साहित्य में इसे ब्रह्मवर्चस् कहा गया है। साधारणतया प्राणशक्ति इड़ा व पिङ्गला नाड़ियों से ही प्रवाहित होती है। जब व्यक्ति संयमपूर्वक प्राणायाम एवं ध्यान आदि यौगिक क्रियाओं का अभ्यास करता है, तब सुप्त सुषुम्णा नाड़ी में विद्यामान अद्भुत शक्ति विकसित होने लगती है। जिस शक्ति का उपयोग भोगों में हो रहा था, वह शक्ति योगाभ्यास द्वारा रूपान्तरित होकर ऊर्ध्वगामिनी हो जाती है। अफलातून तथा पाइथागोरस जैसे आत्मदर्शी विद्वानों ने भी अपने लेखों में इस बात का संकेत किया है कि नाभि के पास एक ऐसी दिव्यशक्ति विद्यमान है, जो मस्तिष्क की प्रभुता अर्थात् बुद्धि के प्रकाश को उज्ज्वल कर देती है, जिससे मनुष्य के अन्दर दिव्य शक्तियाँ प्रकट होने लगती हैं।

चक्र शोधन या कुण्डलिनी जागरण

जो शक्ति इस ब्रह्माण्ड में है, वही शक्ति, इस पिण्ड में भी है। शक्ति का मुख्य आधार मूलाधार चक्र है। मूलाधार चक्र के जाग्रत होने पर दिव्य शक्ति ऊर्ध्वगामिनी हो जाती है। यह कुण्डलिनी जागरण है। जैसे सब जगह विद्युत् के तार बिछाये हुए हों तथा बल्व आदि भी लगाये हुए हों, उनका नियन्त्रण मेनस्विच से जुड़ा होता है। जब मुख्य स्विच को ऑन कर देते हैं, तो सभी यन्त्रों में विद्युत् का प्रवाह होने से सब जगह रोशनी होने लगती है, इसी प्रकार मूलाधार चक्र में सन्निहित दिव्य विद्युतीय शक्ति के जाग्रत होने पर अन्य चक्रों का भी जागरण स्वतः होने लगता है।

यह कुण्डलिनी शक्ति ऊर्ध्व उत्क्रमण करती हुई जब ऊपर उठती है, तब जहाँ–जहाँ कुण्डलिनी शक्ति पहुँचती है, वहाँ विद्यमान अधोमुख चक्रों का उर्ध्वमुख हो जाता है। जब यह शक्ति आज्ञा चक्र पर पहुँचती है, तब सम्प्रज्ञात समाधि तथा जब सहस्त्रार चक्र पर पहुँचती है, तब समस्त वृत्तियों के निरोध होने पर असम्प्रज्ञात समाधि होती है। इसी अवस्था में आत्मा को चित्त में सन्निहित दिव्य ज्ञानालोक भी प्रकट हो लगता है, जिसे ऋतम्भरा प्रज्ञा कहते हैं। इस ऋतम्भरा प्रज्ञा की प्राप्ति होने पर साधक को पूर्ण सत्य का बोध हो जाता है और अन्त में इस ऋतम्भरा प्रज्ञा के बाद साधक को निर्बीज समाधि का असीम, अनन्त, आनन्द प्राप्त हो जाता है। यही योग की चरम अवस्था है। इस अवस्था में पहुँचकर संस्कार रूप में विद्यमान वासनाओं का भी नाश हो जाने से जन्म व मरण के बन्धन से साधक मुक्त होकर मुक्ति के शाश्वत आनन्द को प्राप्त कर लेता है।

कुण्डलिनी जागरण के उपाय

सिद्धयोग के अन्तर्गत कुण्डलिनी का जागरण शक्तिपात द्वारा किया जाता है। यदि कोई परम तपस्वी, साधनाशील सिद्धगुरु मिल जावे तो उनके प्रबलतम 'शक्तिसम्पात' अर्थात् मानसिक संकल्प से शरीर में व्याप्त 'मानस–दिव्य तेज' सिमट कर ध्यान के समय ज्योति या क्रिया की धारा–सी बनकर शरीर में कार्य करने लगता है। आत्म–चेतना से पूर्ण यह तेज एक चेतन के समान ही कार्यरत हो जाता है। सद्गुरु के शक्तिपात से साधक को अति श्रम नहीं करना पड़ता, उसका समय बच जाता है और साधना में सफलता भी शीघ्र प्राप्त हो जाती है। परन्तु ऐसे शक्तिपात करने वाले सिद्ध–पुरूष का मिलना अत्यधिक दुर्लभ है। अतः वर्तमान में हठयोग द्वारा कुण्डलिनी जागरित करना महत्त्वपूर्ण है। यद्यपि श्री गोरखनाथजी ने 'सिद्ध–सिद्धान्त पद्धति' में नव चक्रों का वर्णन किया है, तथापि छ चक्रों–मूलाधार, स्वाधिष्ठान, मणिपूर, अनाहत,

विशुद्ध और आज्ञा चक्र पर ही हठयोग की साधना आधारित है। इन्हीं के भेदन से साधक सहस्रार में शिव का साक्षात्कार करता है। षट्कर्म, आसन, प्राणायाम, मुद्रा, बन्ध आदि क्रियाओं द्वारा शरीर योगाग्नि में शुद्ध कर लिया जाता है। मल से भी नाड़ियों के चक्र का शोधन प्राणायाम से ही होता है। प्राणसाधना से नाड़ियों के चक्र का शोधन प्राणायाम से ही होता है। प्राणसाधना से नाड़ियों के शुद्ध होने पर साधक प्रत्याहार के द्वारा इन्द्रियों को विषयों से हटा कर आत्माभिमुखी कर देता है। धारणा द्वारा मन की निश्चलता के साथ साधक पञ्चभूतपृथ्वी, जल, तेज, वायु और आकाश पर विजय प्राप्त करता है। चक्रभेदन करते हुए ध्यान द्वारा कुण्डलिनी को जाग्रत करने से जीवात्मा परम शिव का साक्षात्कार कर लेता है। हठयोग की चरम परिणति कुण्डलिनी जागरण से चक्र भेदन कर सहस्रार में शिव का साक्षात्कार है। यही उन्मनी सहजावस्था है।

आसन–सिद्धि को जाने पर प्राण–साधना, ध्यान–साधना तथा समाधि आदि में सफलता शीघ्र होती है। ध्यानात्मक आसन में बैठ कर मेरुदण्ड को सीधा रखने से सुषुम्णा से निकले नाड़ी–गुच्छकों में 'प्राण' सरलता से गमनागमन करने लगता है। मेरुदण्ड के झुक जाने से संकुचित बने स्नायु–गुच्छक, अनावश्यक और अवरोधक कफ आदि से लिप्त होने के कारण प्राण–प्रवेश के अभाव से मलीन ही बने रहते हैं। प्राणायाम रूपी प्राण–साधना से शरीरगत प्राण की विषमता दूर होकर समता आ जाती है। ध्यान–धारणा के साथ प्राणायाम करने से सर्वप्रथम योगाभ्यासी के प्राणमय कोश पर प्रभाव पड़ता है, जिससे प्राणमय कोश के समस्त भाग उत्तेजित होकर रक्त परिभ्रमण को तीव्रतर करके, स्थान–स्थान पर एकत्रित हुए श्लेष्मा आदि मल को फुफ्फुस, त्वचा, आँतों आदि के पथों से बाहर निष्कासित करते हैं। फलस्वरूप शरीर में अनेक प्रकार की विचित्र क्रियाएँ होने लगती हैं एवं शरीर रोमांचित हो उठता है। योग में इसे 'प्राणोत्थान' कहते हैं, जो कुण्डलिनी जागरण का प्रथम सोपान है। इसमें विशेष रूप से प्राण की गतिशीलता–जन्य स्पर्शानुभूतियाँ होती रहती हैं। अभ्यास

की निरन्तरता से प्राणोत्थान के प्रकाशपूर्ण उत्तरार्ध भाग में शरीर में यत्र-तत्र कुछ प्रकाश भी दीखने लगता है एवं कुण्डलिनी जागरण का उत्तरार्ध भाग प्रारम्भ हो जाता है। इस प्रकार प्राण-साधना के प्राणमय कोश का साक्षात्कार होता है। सभी कोश प्राण से आबद्ध हैं, अतः चक्रों में आई हुई मलीनता और इन पर छाया हुआ आवरण प्राणायाम द्वारा दूर हो जाने से शरीरगत चक्रों का, चक्रों में होने वाली क्रियाओं का, यहाँ की शक्तियों का, जहाँ-तहाँ कार्य करनेवाले प्राणों, उपप्राणों का, इषु और अधिपतियों का साक्षातकार भी यथासमय हो जाता है। प्राण साधना के निरन्तर अभ्यास से जब चक्रों में रहनेवाली शक्ति पर आधिपत्य हो जाता है तब, मूलाधार से सहस्रार तक 'प्राणशक्ति' को स्वेच्छा-पूर्वक संचालित कर लेने की सामर्थ्य से समस्त चक्रों का एवं उत्तरोत्तर अगले-अगले कोशों का साक्षात्कार कर लेना अति सरल हो जाता है। संलग्न चित्र नं० 11 'सौषुम्ण-ज्योति' दर्शाता है कि प्राणायाम के निरन्तर अभ्यास से विशुद्ध बना नाड़ी-जाल, प्राण और सुषुम्णा का समस्त पथ आलोकित हो उठा है। कपालस्थ 'सूक्ष्म शरीर' का मुख्य भाग बुद्धि (1) से प्रेरित मन (2) का प्रकाश सुषुम्णा-शीर्ष (3) के पथ से बढ़ता हुआ समस्त 'नाड़ी-युगल' (5) को प्रकाशित करता हुआ मूलाधार चक्र (4) से प्रवाहित हो रहा है।

प्राण-साधना का निरन्तर पूरी लगन से अभ्यास करते हुए ज्यों-ज्यों तमस् का आवरण क्षीण हो जाता है, मूलाधार चक्र, स्वाधिष्ठान चक्र व ऊपर सहस्रार तक सभी चक्र प्रकाशित होते चलते हैं। चित्र नं० 12 प्राणायाम सिद्धि पर प्रकाशित हुए चक्रों का पूर्व रूप प्रदर्शित कर रहा है। सबसे निचला 'मूलाधार चक्र' होम-कुण्ड-सम तथा इससे ऊपर 'स्वाधिष्ठान चक्र' है। इससे ऊपर नाभि में स्थित 'मणिपूर चक्र' है, नाड़ियों से घिरे इस चक्र में से उठती लहरी अनाहत शब्द की है, इससे ऊपर वक्ष (छाती) में दीप-शिखा-सम प्रकाशित 'हृदय-चक्र' एवं 'अनाहत चक्र' हैं, कण्ठे के समान दिख रहे कण्ठ में विशुद्धि-चक्र है, भ्रूमध्य में अग्नि-शिखा सा आोलकित 'आज्ञा-चक्र' और

सबसे ऊपर कपाल में सूर्य–सम प्रकाशित 'सहस्त्रार' है।

इन चक्रों का यह पूर्वरूप ही साधक को प्रथम दृष्टिगोचर होता है। तदनन्तर ध्यान के द्वारा अन्तः शरीर में प्रवेश कर जाने पर योगाभ्यासी को समस्त अतीन्द्रिय अन्तः साक्षात्कार तथा अति दूरदर्शन हो जाता है। संलग्न चित्र नं० 13 स्पष्ट करता है – चित्त (1) में जीवात्मा की ज्योति सदा चित्त एवं अहं की ज्योतिर्मयी रखती है, वह पथ (5, 6) के द्वारा कपाल में स्थित विज्ञानमय कोश (4) को प्रेरित करती हुीई मन (3) को प्रेरणा देती है कि वह (मन) अपनी ज्योति से अन्तः नेत्र को दिव्यता प्रदान कर, मन (3) अपनी रश्मियों (7) के द्वारा अन्तः नेत्र (5) को दिव्य बना रहा है। योगाभ्यासी के संकल्प–बल से प्रेरित 'दिव्य दृष्टि' (5) निजरश्मिप्रवाह (8) के द्वारा द्युलोक में सूर्य मण्डल से भी परे तक तथा भूगर्भ में प्रविष्ट होकर (9) के द्वारा पाताल तक के पदार्थों का साक्षात्कार करा देती है।

ये शक्ति–केन्द्र अर्थात् चक्र मेरुदण्डगत सुषुम्णा नामक ज्योतिर्मयी नाड़ी में सूक्ष्म बीज रूप में स्थित हैं। संलग्न चित्र नं० 14 रहस्यमयी सुषुम्णा के हैं, जिनमें से 1 दर्शाता है कि छोटे–बड़े 33 करोरुओं से बने सर्पाकार मेरुदण्ड में रहने वाली लाल रंग की 'सुषुम्णा' भी सर्पाकार बनी हुई है। 'क' सुषम्णा–शीर्ष है, जो मस्तिष्क से जुड़ा है और 'ख' इसकी पुच्छ है, जो पुच्छास्थि या गुदास्थि से मिली है। 2 सुषुम्णा की आन्तरिक स्थिति को स्पष्ट कर रहा है – 'क'; दो कशेरुओं के मध्य से निकले नाड़ी युगल हैं, जो शरीर में जाकर फैल गये हैं। 'ख' सुषम्णा के बाह्य आवरण को काट कर देखने पर इन नाड़ी युगलों की वास्तविक स्थिति को स्पष्ट कर रहा है। 'ग' सुषुम्णा का व्यस्त कटाव है। 'घ' प्रत्येक कशेरु–युगल के मध्य में रखी मांसपेशी की गद्दी। 'ङ' – 'क' से लेकर 'ङ' तक नाड़ी–युगल इसी प्रकार निकल–निकल कर शरीर भर में व्याप गये हैं।

'च' ऊपर से लेकर नीचे तक पीठ की ओर सब कशेरुओं के मध्य में भी मांस पेशियाँ लगी हुी है। 3 और 4 में मोटाई में काटी गई सुषम्णा का वह आन्तरिक भाग दर्शाया गया है जिसमें मकड़ी के जाले से भी सूक्ष्म 'ज्ञान वहा' तथा 'गति वहा' नाड़ियों का जाल बिछा हुआ है। यह जाल चौबीसों घण्टे बिना एक सेकण्ड भी विश्राम लिए कार्यरत रहता है। 5 में सुषुम्णा तथा इसके साथ ही दायें–बायें 'पिंगला' और 'इड़ा' नाम की दो मुख्य नाड़ियाँ भी ऊपर से चली आती है और गुदास्थि के समक्ष आकर मिल जाती हैं। गाँठों में पिरोई हुई इड़ा–पिंगला एक मालावत दिखती हैं।

समस्त शरीर में 'ज्ञान' तथा क्रिया के सम्मिश्रण से बनी जीवनी शक्ति के प्रसार का मुख्य साधन सुषुम्णा ही है।

अगले पृष्ठ पर चक्र–दर्शन तालिका दी जाती है ताकि चक्र सम्बन्धी महत्त्वपूर्ण जानकारियाँ समन्वित रूप से पाठकों को उपलब्ध हो सकें।

इस प्रकार यह स्पष्ट है कि मूलाधार चक्र के जाग्रत होने पर अन्य चक्रों का भी जागरण स्वतः होने लगता है और दिव्य शक्ति ऊर्ध्वगामिनी हो जाती है – यही कुण्डलिनी जागरण है। वैज्ञानिक शब्दों में कहा जाए तो यह कुण्डलिनी वह मानस–दिव्य–तेज है, जो शरीर भर में व्याप्त है। साधक को प्राण–साधना द्वारा चक्रों का शोधन, भेदन व जागरण अधोलिखित मुख्य उपायों द्वारा (किसी सत्पुरुष योग साधक से प्रशिक्षण प्राप्त करके) करना चाहिए।

1. भस्त्रिका प्राणायाम प्रतिदिन प्रातः सायं कम से कम 3 मिनट तथा इसके बाद कपालभाति प्राणायाम कम से कम पाँच मिनट करना चाहिए। कपालभाति प्राणायाम को प्रारम्भ में करते हुए बीच–बीच में विश्राम कर लें। ऐसा करने पर लगभग एक माह में आप बिना रुके लगभग पाँच मिनट तक करने में सक्षम हो जायेंगे।
2. भस्त्रिका और कपालभाति प्राणायामों के करने के बाद 11 बार तक यथाशक्ति त्रिबन्धपूर्णक बाह्यप्राणायाम करें।

3. ये तीनों अभ्यास होने पर मूलाधार चक्र सहित समस्त चक्रों के शोधक तथा चक्रों से सम्बद्ध बहत्तर करोड, बहत्तर लाख, दस हजार, दो सौ दस नाड़ियों की शुद्धि के लिये प्रतिदिन प्रातः सायं दोनों समय अनुलोम–विलोम प्राणायाम का कम से कम 5 से 10 मिनट तक बिना रुके सतत एवं तारतम्यता पूर्वक अभ्यास करने का प्रयत्न करें। यदि किन्हीं विशेष परिस्थितियों में प्राणायाम दोनों समय नहीं हो पाये तो प्रातःकालीन प्राणायाम को कम से कम कभी भी नहीं छोड़ें। यद्यपि छोड़ने से कोई हानि नहीं होती, परन्तु जो आपका लक्ष्य है, उसे प्राप्त करने में विलम्ब होगा। इसलिए दीर्घकाल तक निरन्तर श्रद्धापूर्वक सेवित अभ्यास ही आपको अपने लक्ष्य तक पहुँचायेगा।

   प्रारम्भ में आप अनुलोम–विलोम प्राणायाम को टुकड़ों में करें। यथा– एक मिनट प्राणायाम करने के बाद थोड़ी देर विश्राम करें। पुनः थकान दूर होने पर फिर प्राणायाम का अभ्यास करें। इस तरह बीच–बीच में विश्राम करते हुए लगभग एक से दो माह में आप लगभग 5 से 10 मिनट इस अनुलोम–विलोम प्राणायाम को करने में समर्थ हो जाएँगे। प्रत्येक प्राणायाम को करते हुए प्रत्येक श्वास–प्रश्वास के साथ मानसिक रूप से ओ३म का मानसिक जप, चिन्तन व मनन भी अवश्य करें, क्योंकि प्राणायाम एवं ध्यान का अत्यन्त घनिष्ठ सम्बन्ध है। प्राणायाम के द्वारा अत्यन्त चञ्चल मन भी स्वतः एकाग्र हो जाता है और एकाग्र हुआ मन जब ओङ्कार में समाहित होता है तो ध्यान व समाधि का आनन्द सहज ही प्राप्त होने लगेगा।

4. पूर्व निर्दिष्ट विधियाँ करने के बाद सहजतापूर्वक नाक के नथुनों पर बिना हाथ लगाए ही नाड़ी शोधन प्राणायाम का अति शनैः शनैः अभ्यास करें। प्रत्येक श्वास के साथ मन ही मन, ओंङ्कार का अर्थपूर्वक

जप चिन्तन व मनन करते रहें। इस तरह 3 से 11 बार तक नाड़ी शोधन प्राणायाम भी अवश्य करें।

5. उपर्युक्त निर्देशित प्राणायामों का विस्तृत वर्णन 'प्राणायाम की सम्पूर्ण प्रक्रिया' प्रकरण में पढ़ें।

6. अन्त में प्राण के साथ मन को एकाग्र करके अन्तर्यात्रा करें। इस प्रकार प्राण के साथ ओङ्कार के निरन्तर ध्यान से आप योग के उच्चतम क्षितिज तक पहुँच सकेंगे। ओङ्कार के जप–ध्यान के द्वारा क्रमपूर्वक उत्पन्न कम्प 'मूलाधार चक्र' में विचित्र सी गुदगुदी उत्पन्न करते हैं, गुदगुदी या हर्षदायक ये लहरें 'प्राणमय कोश' (स्नायुमण्डल) के माध्यम से 'स्वाधिष्ठान–चक्र' में 'तड़ित' नामक (प्राण की ताड़ना से उत्पन्न कम्पन) विद्युत्मय–प्रकम्प प्रकट होकर नाभि में एक 'नाद' (अस्फुट–शब्द) उत्पन्न कर देते हैं। जिससे उदर में विशेषउष्मा प्रतीत होती है। उदर में उत्पन्न हुई उष्मा संकल्प में परिणत हो जाती है। जप–ध्यान के द्वारा उत्पन्न विशेष प्रकार का आघात–कम्पन स्नायुमण्डल के द्वारा विद्युत्–लहरियों के रूप में प्राणमय–कोश में प्रविष्ट होता है। जब कोई प्रवाह हमारे मस्तिष्क से चलकर स्नायुमण्डल के द्वारा नाभिगत मणिपूर–चक्र को प्रभावित करता हैं।

ओङ्कार के जप–ध्यान का तात्पर्य यही है कि 'प्राण' को निम्न से उठाकर उच्चस्तर में ले जाय जो एवं 'मन' को प्राण के क्रियामय क्षेत्र से उठा कर 'विज्ञानमय कोश' के तथा 'मन–बुद्धि' को आनन्दमय कोश के स्तर में लाकर स्थिर कर दिया जाए अर्थात् क्रमशः देह प्राणादि के अभ्यास का अभाव करते हुए 'प्राणमय', 'मनोमय', 'विज्ञानमय' कोशों को लांघते हुए शरीर में फैली 'आत्मचेतना' को समेट कर उसे हृदय–गत चित्र की बना ली गई 'आनन्दानुगत' तथा 'अस्मितानुगत' समाधियों में स्थिर कर देना अथवा स्वयं उसमें स्थित हो जाना।

प्रणव के अलावा वेदों के सबसे महान् मन्त्र गायत्री का ध्यान संलग्न चित्र नं० 15 के अनुसार किया जा सकता है। साधक चित्र में प्रदर्शित संख्या 3 के अनुसार अपने मस्तिष्क में कपाल के अन्दर ध्यान की दृष्टि से देखने का प्रयास करे और 'ध्यान' करे कि मेरा मस्तिष्क इस समय 'दिव्य प्रकाश' से भर रहा है, अब परिपूर्ण हो गया है, मेरे बसन्ती–सुनहरे रंग वाले बुद्धिमण्डल में (2) टार्च के समान बंधी दिव्यलोक से आ रही चाँदनी जैसी एक अति धवल ज्योति प्रविष्ट हो रही है। विज्ञानमय–कोश की स्वामिनी बुद्धि के परम सात्त्विक समुज्ज्वल बन जाने से इन्द्रियराज 'मन' एवं उसके अधीनस्थ 'इन्द्रियाँ' स्वतः निर्मल–शुद्ध–पवित्र बनती जा रही हैं। तब दिन–रात मस्तिष्क और हृदय में आनन्द एवं परमशान्त अपार ज्योति का पारावार हिलोरें लेता रहता है।

ओंकार–जप या गायत्री जप के अलावा साधक चाहे तो चित्र नं० 16 के अनुसार 'दिव्य आलोक' का ध्यान कर सकता है। महातेजस्वी सहस्राक्ष भगवान् (1) मुझे 'ब्रह्मतेज' प्रदान कर रहे हैं और ब्रह्मतेज हृदय में सूर्य (2) समान देदीप्यमान हो रहा है और विशुद्ध सौम्य ज्योति के रूप में वह ईश मेरे समक्ष है, मेरी आत्मा (3) में प्रकट है। यह दिव्यतम ज्योति मेरे जीवन पथ को आलोकित करती हुई जीवन–पर्यन्त मेरे समक्ष मेरे साथ बनी रहे।

चक्रदर्शन–तालिका

चक्रों के नाम	स्थूल स्वरूप	स्थान	तत्त्व	बीज	मुख्य वायु	गौण वायु	कोश	लोक	चक्र बराबर गतिशील न होने पर होने वाली व्याधि
मूलाधार	Pelvic Plexus	जननेन्द्रिय व गुदा के बीच करीब १'' अन्दर	पृथ्वी	लं	अपान	कूर्म	अन्नमय	भूः	कब्ज, दस्त, उल्टी
स्वाधिष्ठान	Hypogastric Plexus	मूलाधार चक्र के ऊपर १"–१५"(पेड़ू के पास)	जल	वं	व्यान	धनंजय	प्राणमय	भुवः	अनिद्रा, पथरी
मणिपूर	Epigustric or Solar Plexus	नाभि के पास	अग्नि	रं	समान	कृंकल	मनोमय	स्वः	दमा, सन्धिवात, बवासीर हड्डियाँ कमजोर
अनाहत	Cardiac Plexus	हृदय	वायु	यं	प्राण	नाग	विज्ञानमय	महः	ज्ञान तन्तुओं का तंत्र बिगड़ना, वायु, मूर्च्छा, दम्भ
हृदय चक्र या मनश्चक्र	Lower Mind Plexus	दोनों स्तनों के मध्य	यह शरीर का स्थूल भाग नहीं, अपितु भावात्मक है, जिसका सम्बन्ध चित्त से है।						
विशुद्धि	Carotid Plexus	कण्ठ	आकाश	हं	उदान	देवदत्त	आनन्दमय	जनः	फोडे–फुंसी, गांठ, सूजन, पीप, आंखों में गन्दगी
आज्ञाचक्र	Medula Plexus	भ्रूमध्य (कपाल के जरा पीछे)	मनस्	ॐ				तपः	जल धर (जलोदर) श्वास व फे फड़ों के रोग हृदय–धड़कन वृद्धि
सहस्त्रार	Cerebral Gland	कपाल (तालु के ऊपर मस्तिष्क में ब्रह्मरंध्र से ऊपर)	महत्तत्त्व					सत्यम्	

ध्यान के लिये कुछ दिशा–निर्देश

(1) ध्यान करते समय ध्यान को ही सर्वोपरि महत्त्व दें। ध्यान के समय किसी भी अन्य विचार को चाहे वह कितना ही शुभ क्यों न हो, महत्त्व न दें। दान करना, सेवा व परोपकार करना, विद्याध्ययन, गुरु सेवा व गो सेवा आदि पवित्र कार्य है, परन्तु इनका भी ध्यान के समय ध्यान या चिन्तन न करें। ध्यान के समय चिन्तन, मनन, निदिध्यासन व साक्षात्कार का लक्ष्य ईश्वर है।

(2) ध्यान के समय मन एवं इन्द्रियों को अन्तर्मुखी बनाएं तथा ध्यान से पहले प्रतिदिन मन में यह चिन्तन भी अवश्य करें कि मैं प्रकृति, धन, ऐश्वर्य, भूमि, भवन, पुत्र, पौत्र, भार्या आदि रूप नहीं हूँ। ये सब व्यक्त–अव्यक्त सत्त्व मेरे स्वरूप नहीं हैं। मैं समस्त जड़ व चेतन बाह्य पदार्थों के बन्धन से परे हैं। यह शरीर भी मेरा स्वरूप नहीं है। मैं शरीर, इन्द्रियों तथा इन्द्रियों के विषय–शब्द, स्पर्श, रूप, रस व गन्ध आदि से रहित हूँ। मैं मन तथा मन के विषय काम, क्रोध, लोभ, मोह व अहंकार आदि वासना रूप नहीं हूँ। मैं अविद्या, अस्मिता, राग, द्वेष व अभिनिवेश रूप पंचक्लेशों से भी रहित हूँ। मैं आनन्दमय, ज्योतिर्मय, शुद्धसत्त्व हूँ। मैं अमृत पुत्र हूँ। मैं उसी ब्रह्म की अंश हूँ। जैसे बूँद समुद्र से आकाश की ओर उठती है, फिर भूमि पर गिरकर नदियों के प्रवाह से होकर पुनः सागर में ही समाहित हो जाती है, सागर को छोड़कर बूँद रह नहीं सकती है, मैं भी उस आनन्द के सिन्धु परमेश्वर में बूँद से समुद्र रूप होना चाहता हूँ। वही विधाता हमें जीवन, प्राण, शक्ति, गति, ओज, शान्ति, सुख व समस्त भौतिक ऐश्वर्य प्रदान करता है। प्रभु ने ही हमें शक्ति, जन्म, आयु, शरीर, बुद्धि, शरीर के साधन, घर, परिवार, माता, पिता आदि सब कुछ प्रदान किया है। वही प्रभु मुझे सतत आनन्द दे रहा है। प्रभु की शान्ति व परमसुख मुझ पर सब ओर से बरस रहा है। एक पल भी वह

आनन्दमयी माँ व परम रक्षक पिता मुझे अपने से दूर नहीं करता। मैं सदा प्रभु में हूँ और प्रभु सदा मुझ में हैं, यह तादात्म्यभाव, तद्रूपता व तदाकारभाव ही हमें परम आनन्द प्रदान करेगा। भगवान् अपने आनन्द की अजस्र वृष्टि सदा कर रहे हैं। यदि हम फिर भी उस आनन्द को अनुभव न करें तो इसमें हमारा ही दोष है।

(3) साधक को सदा विवेक, वैराग्य के भाव में रहना चाहिए। स्वयं को द्रष्टा, साक्षी के रूप में अवस्थित रखकर अनासक्तभाव से समस्त शुभ कार्यों को भगवान् की सेवा मानकर करना चाहिए। कर्तृत्व का अहंकार व फल की अपेक्षा रहित कर्म भगवान् का क्रियात्मक ध्यान है।

(4) बाह्यसुख प्राप्ति का विचार व सुख के समस्त साधन सब दुःख रूप हैं। संसार में जब तक सुख बुद्धि बनी रहेगी तब तक भगवत् समर्पण, ईश्वरप्रणिधान नहीं हो सकेगा तथा बिना ईश्वरप्रणिधान के ध्यान व समाधि तक पहुँचना असम्भव है।

(5) इस प्रकार प्रत्येक मुमुक्षु को प्रतिदिन कम से कम एक घण्टा जप, ध्यान व उपासना अवश्य करनी चाहिए। ऐसा करने पर इसी जन्म में सम्पूर्ण दुःखों की समाप्ति और परमपिता परमेश्वर की अनुभूति हो सकती है। यह सदा स्मरण रखना चाहिए कि जीवन का मुख्य लक्ष्य आत्मसाक्षात्कार व प्रभु प्राप्ति है, शेष सब कार्य व लक्ष्य गौण हैं। यदि हमने इस जीवन में अभी से ईश्वर साक्षात्कार के मार्ग पर बढ़ना प्रारम्भ नहीं किया तो उपनिषद् के ऋशि कहते हैं :

इह चेदवेदीदथ सत्यमस्ति न चेदिहावेदीन्महती विनष्टिः।
भूतेषु भूतेषु विचिन्त्य धीराः प्रेत्यस्माल्लोकादमृता भवन्ति॥

– केनोपनिषद् 2.5

इस मन्त्र का तात्पर्य यह है कि जो मनुष्य अभी से धर्मविचार में रत होकर परमात्मा को जानने का यत्न करता है, वही सफल होता है। इसके विपरीत जो मनुष्य जीवन को केवल संसारी कार्यों में लगाए रखता है, वह अपनी महती हानि कर रहा है।

इसलिए योग व ध्यान हमारे जीवन की आवश्यकता है – यह समझते हुए नित्य ध्यानावस्थित हो आत्मचिन्तन करना चाहिए।

इस पूरी प्रक्रिया में कुछ बहुत ही आवश्यक नियम व सावधानियाँ भी हैं, जिनका पालन प्रत्येक साधक को करना नितान्त आवश्यक है।

नियम :

1. ब्रह्मचर्य का पालन अति आवश्यक है। गृहस्थ व्यक्ति भी साधना की इस सहज प्रक्रिया के द्वारा परम आनन्द को प्राप्त कर सकता है। इसके लिए उसको भी पूर्ण आनन्द की प्राप्ति के लिए क्षणिक विषय सुख को छोड़ना होगा। अन्यथा पूर्ण उन्नति सम्भव नहीं हो सकेगी।
2. आहार की शुचिता व सात्विकता पर भी अवश्य ध्यान दें। युक्त–आहार, युक्त–निद्रा एवं संयमित ब्रह्मचर्य के बिना तो स्वस्थ रहना भी कठिन है, फिर योगाभ्यासी को तो आहार, निद्रा व ब्रह्मचर्य के नियमों का पालन आवश्यक हो ही जाता है।
3. यम एवं नियमों के पालन के बिना कोई भी व्यक्ति योगी नहीं हो सकता। इसलिए कुण्डलिनी जागरण, चक्रों का पूर्ण शोधन व भेदन तथा समाधि की स्थिति को भी पाने के लिए यम, नियम का पूर्ण पालन अति आवश्यक है। वैसे भी जब आप प्रतिदिन पूर्व निर्दिष्ट विधि से योगाभ्यास करेंगे तो यम, नियमों का पालन भी आप के लिए अत्यन्त सहज हो जायेगा। क्योंकि अहिंसा व सत्यादि आपके सहज, स्वाभाविक गुण हैं। आप भयभीत न हों कि यम, नियमों का तो मैं पालन नहीं कर पाऊँगा फिर मैं पूर्ण योगी तो नहीं बन सकूंगा, ऐसा नहीं है। बस, आप पूर्व निर्दिष्ट विधि से यौगिक प्रक्रिया करते जाएं, आप का जीवन योगमय होता जाएगा। अहिंसा व सत्य आदि यम, नियमों में आपकी आस्था, श्रद्धा व विश्वास इतना दृढ़ हो जायेगा कि आपको असत्य आदि बोलने की इच्छा ही नहीं होगी। किसी की हिंसा का भाव ही मन में जाग्रत नहीं होगा। इसलिए योग को सहज कहा जाता है। क्योंकि योग हमारा स्वधर्म है।

सावधानियाँ :

1. पूर्व निर्दिष्ट सभी विधियाँ सब कर सकते हैं, परन्तु उच्च रक्तचाप, हृदय एवं अस्थमा (दमा) श्वास के रोगी व्यक्ति प्राणायाम की विधियों को धीरे धीरे ही करें, किसी भी प्राणायाम को अतिशीघ्रता पूर्वक नहीं करें। ऐसा करने पर उनके ये रोग भी दूर होंगे और योग में भी उन्नति होगी, अन्यथा अतिशीघ्रता पूर्वक प्राणायाम करने से उच्च रक्तचाप बढ़ सकता है और हृदय व अस्थमा के रोगियों को भी परेशानी हो सकती है। अपने शारीरिक सामर्थ्य का भी ध्यान सभी रखें। शक्ति का अतिक्रमण न करें।
2. शौचादि से निवृत्त होकर ही ये प्रक्रिया करें। यदि कब्ज रहता हो तो थोड़े दिन त्रिफलादि किसी सौम्यरेचक औषधि का प्रयोग भी किया जा सकता है। कुछ दिनों के अभ्यास से कब्जादि समस्त रोग भी स्वतः ही दूर हो जाते हैं।
3. इस पूर्व निर्दिष्ट विधि के करने पर साधक की जठराग्नि भी अत्यन्त तीव्र हो जाती है। अतः साधक को सौम्य, मधुर, व पौष्टिक आहार भी लेना चाहिए। गोघृत, गोदुग्ध, ऋतु अनुकूल फल व बादाम आदि भिगोकर भी ले सकते हैं। हृदयरोग, कोलेस्ट्रोल, उच्च रक्तचाप होने पर भी गोघृत अति अल्पमात्रा में तथा गोदुग्ध व भिगोए हुए बादाम अल्प मात्रा में लिए जा सकते हैं।
4. ग्रीष्मकाल में संक्षिप्त अभ्यास करें।
5. एक बार कुण्डलिनी जाग्रत हो जाने पर यह नहीं मानना चाहिए कि सर्वदा ऐसा बिना ही प्रयत्न व अभ्यास के होता रहेगा। इसके लिए मन तथा शरीर की स्वस्थ अवस्था, निर्मलता, शुचिता, सूक्ष्मता, विचारों की पवित्रता और वैराग्य का निरन्तर बना रहना आवश्यक है। इसके अभाव में कार्य बन्द हो सकता है।
6. साधकों को इस मार्ग में आडम्बर, बनावट (Fashion) से बचते हुए शान्त, सरल, सहज व निरभिमानी, मितभाषी होकर रहना चाहिए। प्रशंसा, यश, कीर्ति आदि की कामना कदापि नहीं करें।

कुण्डलिनी जागरण के लक्षण व लाभ

कुण्डलिनी जागरण के आत्मिक लाभ की अभिव्यक्ति शब्दों में तो नहीं की जा सकती। हाँ, इतना अवश्य कहा जा सकता है कि यह एक पूर्ण आनन्द की स्थिति होती है। इस स्थिति को प्राप्त करने के बाद कुछ पाना शेष नहीं रह जाता। मन में पूर्ण सन्तोष, पूर्णशान्ति व परमसुख होता है। ऐसे साधक के पास बैठने से दूसरे व्यक्ति को भी शान्ति की अनुभूति होती है। ऐसे योगी पुरुष के पास बैठने से दूसरे विकारी पुरुष के भी विकार शान्त होने लगते हैं तथा योग व भगवान् के प्रति श्रद्धा भाव बढ़ते हैं। इसके अतिरिक्त कुण्डलिनी जिसकी जाग्रत हो जाती है, उसके मुख पर एक दिव्य आभा, ओज, तेज व कान्ति बढ़ने लगती है। शरीर पर भी लावण्य आने लगता है। मुख पर प्रसन्नता व समता का भाव होता है। दृष्टि में समता, करुणा व दिव्य प्रेम होता है। हृदय में विशालता, उदारता व परोपकार आदि के दिव्य भाव होते हैं। विचारों में महानता व पूर्ण सात्विकता होती है। संक्षेप में हम कह सकते हैं कि उसके जीवन का प्रत्येक पहलू पूर्ण पवित्र, उदात्त व महानता को छूता हुआ होता है।

इस पूरी प्रक्रिया के जहाँ आध्यात्मिक लाभ हैं, वहीं एक लाभ अत्यधिक महत्त्वपूर्ण यह भी है कि ऐसी यौगिक प्रक्रिया करनेवाले व्यक्ति को जीवन में कोई रोग नहीं हो सकता है तथा कैंसर से लेकर हृदयरोग, मधुमेह, मोटापा, पेट के समस्त रोग, वात, पित्त व कफ की सभी विषमताएं स्वतः समाप्त हो जाती हैं। व्यक्ति पूर्ण नीरोगी हो जाता है। आज के स्वार्थी व्यक्ति के लिए क्या यह कम उपलब्धि है कि बिना किसी दवा के सभी रोग मिटाये जा सकते हैं और जिन्दगी भर निरोग, स्वस्थ, ओजस्वी, मनस्वी, तपस्वी बना जा सकता है।

परिचय

दिव्य योग मन्दिर ट्रस्ट, कनखल

दिव्य योग मन्दिर ट्रस्ट का मुख्यालय कृपालु बाग आश्रम में अवस्थित है। कृपालु बाग आश्रम की स्थापना सन् 1932 में श्री स्वामी कृपालुदेवजी महाराज ने की थी जो मूलतः वीर भूमि मेवाड़ (राजस्थान) के थे और उनका संन्यस्तपूर्व नाम यति किशोर चंद था। स्वाधीनता आन्दोलन में यति किशोरचन्दजी ने एक सक्रिय क्रांतिकारी की सफल भूमिका निभायी। हरिद्वार में वे अनेक क्रान्तिकारियों के आश्रयदाता बने हुए थे। स्थानीय स्वतंत्रता सेनानी वेणी प्रसाद जिज्ञासु उनके प्रमुख सहयोगियों में से थे। यति किशोर चंद ने हरिद्वार में सबसे पहली पब्लिक लायब्रेरी की स्थापना की और अथक परिश्रम से साढे तीन हजार पुस्तकें इकट्ठी करके अपर रोड स्थित इस पुस्तकालय में रखीं। राष्ट्र निर्माण योजना को कार्य रूप देने के लिये उन्होंने दर्जनों पाठशालाओं की स्थापना इस क्षेत्र में की। गुरुकुल कांगड़ी के संस्थापक स्वामी श्रद्धानन्दजी से उनके मधुर एवं घनिष्ठ सम्बंध रहे। बाद में बाल गंगाधर तिलक, मदन मोहन मालवीय, मोतीलाल नेहरू, महात्मा गांधी, चित्तरंजन दास, गणेश शंकर विद्यार्थी, वी.जे. पटेल, हकीम अजमल खां के गहन सम्पर्क में आए।

यति किशोरचंद ने बंग विप्लव दल से जुड़ कर इसके द्वारा निकाले गये 'युगान्तर' और लोकान्तर पत्रों को उत्तर भारत में प्रसारित करने का जोखिम भरा दायित्व संभाला। बंगला और अंग्रेजी में छपनेवाला यह समाचार पत्र ब्रिटिश सरकार की आँखों की किरकिरी बना हुआ था। विदेशी सरकार आग उगलनेवाले और क्रान्तिकारी पैदा करनेवाले इस समाचार पत्र से थर–थर कांपती थी। यह कहां से छपता व निकलता था कोई कभी नहीं जान पाया। यति किशोर चंद इन पत्रों को कभी हरिद्वार के चंडी पहाड, कभी नीलधारा तलहटी तो कभी पालीवाल धर्मशाला स्थित अपनी लायब्रेरी से लिफाफों में रख–रखकर देश भर में पोस्ट किया करते थे। इन्हीं दिनों बंग विप्लव दल ने दिल्ली में लार्ड हार्डिंग बम काण्ड को अंजाम दिया। जिसके नायक रास बिहारी बोस थे। उनको हरिद्वार में शरण देने का दायित्व यति किशोर चंद को सौंपा गया था। रास बिहारी बोस पर ब्रिटिश सरकार ने उस ज़माने में तीन लाख रुपयों का ईनाम रखा हुआ था। यति किशोरचंद ने उनको जंगल के बीच स्थित अपने आश्रम में रखा। तभी उनके मित्र हरीश बाबू तीन अन्य साथियों

के साथ हरिद्वार आये और बतलाया कि अंग्रेज सरकार को बोस के हरिद्वार या देहरादून में छिपे होने की भनक मिल चुकी है और किसी भी वक्त छापा पड़ सकता है। तब यति किशोरचंद ने उन सबको पटियालवी यात्रियों के वेश में देहरादून एक्सप्रेस से बनारस रवाना कर दिया। रात की गाड़ी से रास बिहारी बनारस के लिये रवाना हुए और सवेरे ही भारी पुलिस फोर्स ने यति किशोर चन्द की कुटिया को घेर लिया। उनकी तलाशी में आसपास के क्षेत्र का चप्पा–चप्पा छान मारा लेकिन शेर पिंजरे से निकल कर बनारस और वहां से जापान सुरक्षित भाग निकला था। यही यति किशोर चन्द संन्यास लेकर बाद में कृपालु महाराज कहलाये। पराधीन भारत में स्वाधीनता की अलख जगाने के लिये उन्होंने 'विश्व–ज्ञान' शीर्षक से मासिक पत्रिका का प्रकाशन भी किया। स्वाधीनता सेनानी और क्रांतिकारी का जीवन जीनेवाले यति किशोर चन्द्रजी की योग एवं अध्यात्म में रूचि प्रशस्त हुई और वे एक सिद्ध योगी बने। सन् 1968 में वे इस संसार को अलविदा कह गये।

क्रान्ति, योग साधना और अध्यात्म की पुण्य भूमि कृपालु बाग आश्रम का संचालन कार्य महाराजजी के शिष्यों ने संभाला। इसी परम्परा की एक कड़ी श्री स्वामी शंकरदेवजी हैं जिनके योग्य शिष्य श्री स्वामी रामदेवजी महाराज ने इस आश्रम को योग, आयुर्वेद, वैदिक संस्कृति की दिव्य ज्योति से समुज्ज्वल कर इसे देश–विदेश में, लोकमानस में, दिग्–दिगंत में विख्यात कर दिया है। सन् 1995 में स्थापित दिव्य योग मन्दिर ट्रस्ट के माध्यम से श्री स्वामी रामदेवजी महाराज ने अपने अभिन्न सहायकों व आत्मीयजनों यथा आचार्य कर्मवीरजी, आचार्य बालकृष्णजी, स्वामी मुक्तानन्दजी, आदि के सहयोग से जिन विविध सेवा–प्रकल्पों को मूर्तरूप दिया है उनसे भारतीय जनमानस गहराई तक प्रभावित हुआ व हो रहा हैं जिसके फलस्वरूप समूचे भारत में वेद, योग, आयुर्वेद की त्रिवेणी प्रवाहित होने लगी है। इन संत आत्माओं के दिव्य प्रताप से करोड़ों लोग शारीरिक आरोग्यता, मानसिक शांति, आत्मिक उन्नति, आध्यात्मिक विकास और बौद्धिक चेतना का लाभ उठा चुके हैं अथवा उठा रहे हैं। स्वामी रामदेवजी के जीवन का तो एक–एक क्षण पुण्य कार्यों के महानुष्ठान में व्यतीत हो रहा है। धर्म, योग, अध्यात्म, समाज सेवा, शिक्षा, लोक–कल्याण सभी क्षेत्रों में वे समान रूप से गतिमान हैं फिर भी यह संन्यासी निरहंकार भाव से यह मान कर चल रहा है कि हम तो निमित्त मात्र बने हुए हैं और यह सब जो हो रहा है, जो होने वाला है वह सब प्रभु की दया, इच्छा का ही फलितार्थ है।

दिव्य योग मन्दिर ट्रस्ट द्वारा संचालित सेवा प्रकल्प

एक दशक से भी कम की अल्पावधि में दिव्य योग मन्दिर ट्रस्ट ने अपने विविध सेवा प्रकल्पों के माध्यम से सफलता के जो मील पत्थर स्थापित किये हैं उन्हें देख कर लोगों को लगने लगा है कि यह सब किसी दैवी चमत्कार से कम नहीं है। पतंजलि योग पीठ के रूप में जो बहु–आयामी योजना स्वरूप धारण कर रही है उसे देख कर तो लोगों को लग रहा है कि स्वामी रामदेवजी को निश्चय ही कोई दैवी सिद्धि प्राप्त है। वस्तुतः यह सब उस ईश–निष्ठा, समर्पण भाव, सेवा संकल्प, लोक कल्याण की मंगल भावना का चमत्कार है जिससे स्वामी रामदेवजी महाराज सदा आवेष्टित रहते हैं, प्रेरित एवं सक्रिय रहते हैं। दिव्य योग मन्दिर ट्रस्ट के विविध सेवा प्रकल्पों का संक्षिप्त ब्यौरा इस प्रकार है :

योग साधना एवं योग चिकित्सा शिविरों का आयोजन

पूज्यपाद स्वामी रामदेवजी के सान्निध्य में देश भर में आयोजित होनेवाले योग साधना एवं योग चिकित्सा शिविरों ने इस भ्रांति को मिटा दिया है कि योग केवल शारीरिक व्यायाम मात्र है। पूज्यपाद स्वामीजी ने योग को शारीरिक आरोग्यता, रोग निवारण, मानसिक शांति, आत्मविकास, बौद्धिक चेतना, आध्यात्मिक उन्नति का आधार बनाकर योग को एक विशिष्ट एवं अलौकिक परिभाषा एवं अर्थवत्ता प्रदान की है। योग के इस विलक्षण प्रभाव की अनुभूति नियमित रूप से योगाभ्यास करनेवाले साधकों को प्रत्यक्ष रूपेण हो भी रही है। इस शिविरों में महर्षि पतंजलि प्रणीत अष्टांग योग–यम, नियम, आसन, प्राणायाम, प्रत्याहार, धारणा, ध्यान व समाधि का शिक्षण प्रशिक्षण दिया जाता है। अब व्यवस्था की जा रही है कि पतंजलि योगसूत्र के साथ–साथ हठयोग, दर्शन, उपनिषद, वेद, चरक, सुश्रुत आदि ग्रन्थों पर आधारित उपयोगितानुसार क्रियात्मक अध्ययन, स्वाध्याय, प्रशिक्षण का भी प्रबन्ध है। योग, षट्कर्मनेति, धौति, बस्ति, त्राटक, नौलि व कपालभाति इन छह यौगिक क्रियाओं के साथ–साथ ध्यान योग एवं जप–योग आदि का क्रियात्मक प्रशिक्षण देने की समुचित व्यवस्था भी की जा रही है।

ब्रह्मकल्प चिकित्सालय

यौगिक षट्कर्म के साथ–साथ आयुर्वेदिक पंचकर्म (मालिश, स्वेदन, वमन, विरेचन, शिरोवस्ति), जड़ी–बूटियों व रस–रसायनों पर आधारित आयुर्वेदिक औषधियों, आहार–विहार, पथ्यापथ्य, संतुलित ब्रह्मचर्य, ऋतु चर्या व दिनचर्या को सम्यक् कर

नये व पुराने रोगों का उपचार ब्रह्मकल्प चिकित्सालय के माध्यम से किया जा रहा है। एक्युप्रेशर, योग एवं आसन, प्राणायाम का प्रशिक्षण एवं प्राकृतिक चिकित्सा पद्धति के निःशुल्क पद्धति न्यूनतम मूल्य पर दी जा रही है जो धनाभाव के कारण औषधि नहीं खरीद सकते।

ब्रह्मकल्प चिकित्सालय में उच्च रक्तचाप, मधुमेह, हृदय रोग, अस्थमा, मोटापा, एसिडिटी, एलर्जी, अल्सर, सर्वाइकल स्पोंडोलाइटिस, सियाटिका, आर्थराइटिस, कैंसर (प्रथम व द्वितीय स्टेज) आदि पुराने व कष्ट साध्य रोगों का उपचार बिना शल्य चिकित्सा (ऑपरेशन) के किया जाता है।

पतंजलि योगपीठ में ब्रह्मकल्प चिकित्सालय को बृहद स्वरूप प्रदान करते हुए इसे आवासीय औषधालय का स्वरूप भी दिया जा रहा है जिससे रोगी यहीं ठहर कर चिकित्सा लाभ उठा सकेंगे।

पूज्य स्वामीजी महाराज का स्पष्ट कथन है कि हमें भरसक प्रयास करना चाहिए कि हम रोगी हों ही नहीं। यदि हो भी जाये तो प्रथम प्रश्रय योग को देकर योग से ही अपने को ठीक करने का प्रयत्न करना चाहिए। औषधि लेनी भी पड़े तो आयुर्वेदिक औषधियों को प्राथमिकता देनी चाहिए क्योंकि यह हमारी मिट्टी, संस्कृति व प्रकृति से जुड़ी हुई व निरापद है। उसके लिए विशुद्ध रूप से निर्मित दिव्य फार्मेसी की गुणवत्तायुक्त औषधियों का होना अत्यावश्यक है। अतः सस्ती व गुणवत्तायुक्त औषधियां उपलब्ध कराने के लिए दिव्य योग मन्दिर ट्रस्ट ने दिव्य फार्मेसी की स्थापना आश्रम परिसर में ही की हुई है जिसमें शुद्ध, गुणवत्तायुक्त, शास्त्रोक्त विधि से स्वानुभूत योग, भस्म व पिष्टी, स्वर्ण घटित योग व रस, रसायन, वटी, गुग्गुल, चूर्ण, अवलेट, सत, क्वाथ, घृत, तेल, लौह, मण्डूर, पर्पटी आदि तैयार होते हैं। हमारा पूर्ण प्रयास है कि औषधि शुद्ध एवं शास्त्रीय विधि से निर्मित उच्चगुणवत्तायुक्त हो। साथ ही प्रयत्न रहता है कि न्यूनतम मूल्य पर जन सामन्य को इसकी प्राप्ति सम्भव हो। हम सीमित मात्रा में ही औषधि निर्माण कर पा रहे हैं, इस कारण कई बार लोगों को अनुपलब्धता के कारण निराश लौटना पड़ता है।

अतः शीघ्रातिशीघ्र दिव्य फार्मेसी का विस्तारीकरण करने की योजना को कार्यरूप दिया जा रहा है, जिससे आप सबकी आवश्यकता एवं हमारे प्रति जो आपकी भावना है उसको हम पूर्ण कर सकें।

अनुसंधान कक्ष (लैबोरेटरी)

दिव्य योग मन्दिर ट्रस्ट का अपना एक अनुसंधान कक्ष है जिसका कार्य परम्परागत औषधियों के अलावा नयी औषधियों की खोज करना, वर्षों से अनुपलब्ध

औषधियों को ढूंढ़ना, दिव्य फार्मेसी के लिये खरीदी गयी वनौषधियों की गुणवत्ता की जांच करना, शास्त्रोक्त विधि से औषध निर्माण सुनिश्चित करना, चिकित्सा एवं फार्मेसी एवं फार्मेसी ज़गत् में हो रहे अनुसंधानों और विकसित हो रही तकनीक की अद्यतन एवं सम्यक जानकारी प्राप्त करना, आयुर्वेद पर लिखित एवं प्रकाशित साहित्य का क्रय पुस्तकालय के लिये करना, औषधीय पौधों का संरक्षण एवं संवर्द्धन करना, व्यावसायिक हितों पर चिन्तन करना तथा साहित्य तैयार कर प्रकाशित कराना है। अनुसंधान कक्ष ने अनेक स्वानुभूत योग तैयार करके तहलका मचा दिया है। सैकड़ो वर्षों से अष्टवर्ग के चार औषधीय पौधों की अनुपलब्धता के आधार पर यह मान लिया गया था कि ये पौधे प्राकृतिक कारणों से अपना अस्तित्व खो चुके हैं लेकिन इस अनुसंधान कक्ष के मनीषियों ने अथक परिश्रम, गहन रुचि एवं प्रशस्त निष्ठा का परिचय देकर हिमालय की शीत प्रधान शृंखलाओं में इन चारों विलुप्त औषधियों को ढूंढ निकाला है। अष्टवर्ग पर ट्रस्ट द्वारा अंग्रेजी व हिंदी में प्रकाशित पुस्तक में इस उल्लेखनीय खोज का विशद् वर्णन किया गया है।

दिव्य औषध वाटिका

हिमालय क्षेत्र सहित देश–विदेश में पयी जानेवाली उपयोगी, दुर्लभ एवं सुलभ जीवनदायिनी जड़ी–बूटियों के परिज्ञान, संरक्षण व संवर्द्धन हेतु प्रारम्भ से ही आश्रम परिसर में सार्थक प्रयास किया जा रहा है। लेकिन स्थानाभाव के कारण इसे बृहद् एवं वांछित स्वरूप प्रदान नहीं किया जा सका। अब पतंजलि योगपीठ में इस कार्य हेतु पर्याप्त जमीन उपलब्ध है अतः विशाल स्तर पर इन्हें उगाने व संरक्षित करने की योजना बना ली गयी है। चिकित्सार्थ जिन औषधीय पौधों के ताजे पत्ते व रस की या जड़ तथा फल की जरूरत होती है वह इस दिव्य औषध वाटिका द्वारा निकट भविष्य में पूरी की जा सकेगी। गमलों में लगे पौधे व बीज बिक्री के लिये उपलब्ध रहेंगे।

दिव्य गौशाला की स्थापना

भारतीय नस्ल की देशी गायों का संरक्षण, संवर्द्धन तथा औषध निर्माण में उपयोगी गो–दुग्ध, गोघृत, गो–मूत्र, गोमय आदि की प्राप्ति हेतु गो–सेवा एवं गो वंश की रक्षा का प्रकल्प आश्रम में पहले से चल रहा है लेकिन अब पतंजलि योगपीठ में इसे बृहद् स्वरूप प्रदान किया जा रहा है जिसमें हजारों गायों का पालन पोषण होगा। इनसे प्राप्त गोबर को ही कम्पोस्ट अथवा जैविक खाद बनाकर प्रयोग में लाया जायेगा जिससे कि रासायनिक उर्वरक से रहित अन्न, फल, सब्जी, दूध उपलब्ध हो सके। गोबर से बायोगैस भी तैयार की जायेगी जिससे आश्रम की अन्य जरूरतें

पूरी हो सकेंगी। इन देशी गायों का उपयोग नस्ल सुधार के निमित्त भी किया जायेगा जिससे गो–वंश को प्रतिष्ठा एवं प्रामाणिकता दिलाई जा सके।

वैदिक यज्ञानुष्ठान (अग्निहोत्र)

अग्निहोत्र वस्तुतः अपने आप में एक विज्ञान है। पर्यावरण शुद्धि एवं संतुलन बनाये रखने में, ऋतुओं को अनुकूल बनाये रखने में वनस्पति की अभिवृद्धि व संरक्षण के लिये, अनावृष्टि एवं अतिवृष्टि की स्थिति पर नियंत्रण रखने के लिये, कतिपय रोगों का उपचार करने के लिये तथा धार्मिक एवं आध्यात्मिक अनुष्ठानों की प्रतिपूर्ति के लिये अग्निहोत्र का भारतीय परम्परा में विशेष स्थान रहा है। इस ऋषि परम्परा को आदर्श मानकर आश्रम में प्रतिदिन यज्ञानुष्ठान किया जाता है। पतंजलि योगपीठ परिसर में एक विशाल यज्ञशाला का निर्माण प्रस्तावित है। यज्ञ के उक्त लाभकारी बिन्दुओं पर वैज्ञानिक ढंग से शोध एवं अनुसंधान कार्य भी होगा।

वैदिक गुरुकुल

हरियाणा प्रान्त के रेवाड़ी शहर से लगभग 8 किमी० दूर किशनगढ़–घासेड़ा में वैदिक संस्कृति, संस्कार व उच्चादर्श एवं उन्नत, आधुनिक शिक्षायुक्त निःशुल्क विद्यातीर्थ गुरुकुल का संचालन किया जा रहा है, जिसमें उच्चवर्ग के साथ–साथ ग्रामीण व गरीब बच्चों को सुसंस्कार के साथ अच्छी शिक्षा प्राप्त हो सके। अभी गुरुकुल में भवन निर्माण आदि की महती आवश्यकता है ताकि और अधिक बच्चे शिक्षा पा सकें।

गंगोत्री स्थित साधना आश्रम

दिव्य योग मन्दिर ट्रस्ट ने जिज्ञासु साधकों एवं हिमालय क्षेत्र में पायी जानेवाली दुर्लभ जड़ी बूटियों के अनुसंधान एवं संरक्षण के लिये गंगोत्री में आश्रम की स्थापना की है जिसको अभी विस्तृत एवं बृहत् स्वरूप प्रदान करना शेष है।

पतंजलि योगपीठ की स्थापना

पतंजलि योग पीठ मातृ संस्था दिव्य योग मन्दिर ट्रस्ट कनखल की बहु–आयामी योजना है जो लगभग एक हजार बीघा भूमि पर मूर्त रूप ग्रहण करेगा। योग पीठ वेद, योग, आयुर्वेद के प्रचार–प्रसार, प्रशिक्षण अनुसंधान के क्षेत्र में महत्वपूर्ण भूमिका निभायेगा। लगभग दो हजार साधक–साधिकाओं को यह पीठ आवासीय सुविधा प्रदान करेगा। लगभग ढाई हजार कमरों, भवनों हॉल्स का यह विशाल परिसर

बनेगा जिसमें फार्मेसी, अस्पताल, गोशाला, जड़ी बूटी उद्यान, योग संदेश व साहित्य प्रकाशन एवं बिक्री अनुसंधान विभाग, पुस्तकालय, मुद्रणालय, अन्नपूर्णा, योग–केन्द्र, यज्ञशाला आधुनिक सुविधाओं से युक्त होंगे। इस परिसर में आनेवालों को शुद्ध सात्विक आहार उपलब्ध होगा जो एल.पी.जी. गैस, रासायनिक उर्वरक और कीटनाशकों से सर्वथा रहित होगा। यह परिसर विश्वकवि रवीन्द्रनाथ टैगोर के शान्ति निकेतन की तरह पूर्णतया आत्मनिर्भर एवं स्वावलम्बी परिसर के रूप में विकसित होकर करोड़ों लोगों के लिये आरोग्यता, योगाभ्यास, मानसिक शान्ति और आध्यात्मिक विकास की श्रद्धामयी तपोभूमि के रूप में लोक–विश्रुत संस्थान का स्वरूप ग्रहण कर सकेगा। सौ करोड़ रुपये की इस अत्यंत विशाल बहुआयामी योजना को भारत के कोटिशः योग साधक–साधिकाओं के आर्थिक सहयोग से ही पूरा करने का शिव संकल्प स्वामी रामदेवजी ने लिया हुआ है जो परमपिता परमात्मा की असीम प्रेरणा एवं कृपा से निरन्तर पूरा होता जा रहा है।

इस योगपीठ की सदस्यता ग्रहण करने के लिये जो सहयोग राशि ट्रस्ट ने निर्धारित की हुई है वह इस प्रकार है :

1.	**संस्थापक सदस्य**	**पांच लाख रुपये**
2.	**संरक्षक सदस्य**	**दो लाख इक्यावन हजार रुपये**
3.	**आजीवन सदस्य**	**एक लाख रुपये**
4.	**विशिष्ट सदस्य**	**इक्यावन हजार रुपये**
5.	**सम्मानित सदस्य**	**इक्कीस हजार रुपये**
6.	**सामान्य सदस्य**	**ग्यारह हजार रुपये**

योग संदेश (हिन्दी मासिक पत्रिका) का प्रकाशन

दिव्य योग मन्दिर ट्रस्ट से जुड़े हजारों साधक–साधिकाओं द्वारा अर्से से की जा रही मांग को दृष्टिगत रखते हुए सितम्बर 2003 से अनुभवी सम्पादक मण्डली के सम्पादन में 'योग संदेश' का प्रकाशन शुरू किया गया है। प्रतिमाह हजारों नये पाठकों का सदस्य बनना इसकी बढ़ती लोकप्रियता का प्रत्यक्ष प्रमाण है। निकट भविष्य में आर्ष परम्परा से प्राप्त योग, आयुर्वेद, संस्कृति–संस्कार एवं अध्यात्मवादी विचारधारा को लाखों पाठकों तक पहुँचाने का पुनीत संकल्प किया गया है। इसके अतिरिक्त, कवितायें, जनोपयोगी लेख एवं ट्रस्ट की गतिविधियों एवं भावी योजनाओं एवं पाठकीय अनुभूति को भी पत्रिका में यथोचित समावेश किया जायेगा। अल्पकाल में किसी हिन्दी पत्रिका का इस तीव्रगति से प्रसारित एवं प्रतिष्ठित होना परम पूज्य स्वामी रामदेवजी महाराज के विलक्षण प्रभाव का ही परिणाम है।